La fille du Photographe

La fille du Photographe

Un roman de

Camilien Roy

Les Éditions
de la Francophonie

Photo : **Éric Roy**

Couverture : **Info 1000 Mots inc.**

Mise en pages : **Info 1000 Mots inc.**

Corrections
d'épreuves : **Monique Grenier**

Production : **Les Éditions de la Francophonie** Correspondance
720, rue Main, 3ᵉ étage   55, rue des Cascades
Moncton (N.-B.) E1C 1E4   Lévis,(Qc) G6V 6T9
Tél. : 1-866-230-9840   1-418-833-9840
Courriel : eiphonie@bellnet.ca
www.editionsfrancophonie.com

Distribution : Distribution UNIVERS
845, rue Marie-Victorin,
Saint-Nicolas, (Québec) G7A 3S8
Tél. : (418)831-7474 • 1-800-859-7474
Téléc. : (418) 831-4021
univers@distribution-univers.qc.ca

L'auteur désire remercier le Conseil des Arts du Nouveau-Brunswick pour sa contribution à la réalisation de ce livre.

ISBN 2-923016-91-2

Tous droits réservés pour tous pays
© 2005 Camilien Roy
© 2005 Les Éditions de la Francophonie

Dépôt légal – 2ᵉ trimestre 2005
Bibliothèque nationale du Canada
Bibliothèque nationale du Québec
Imprimé au Canada

Ce livre est dédié à Hector J. Roy,
décédé le 4 juillet 1944 à la bataille
de Carpiquet en France
et à son frère Alcide,
décédé le 4 juillet 1996
à Bathurst au Nouveau-Brunswick.

Printemps 2005

Votre fille a vingt ans, que le temps passe vite
Madame, hier encore elle était si petite
Et ses premiers tourments sont vos premières rides
Madame, et vos premiers soucis...

On la trouvait jolie et voici qu'elle est belle
Pour un individu presque aussi jeune qu'elle
Un garçon qui ressemble à celui pour lequel
Madame, vous aviez embelli...

Chaque nuit qui vous semble à chaque nuit semblable
Pendant que vous rêvez vos rêves raisonnables
De plaisir et d'amour ils se rendent coupables
Madame, au creux du même lit...

GEORGES MOUSTAKI

Remerciements

Le 24 novembre 2000, à la remise du Prix Littéraire France-Acadie à Paris, j'ai fait la connaissance de Monsieur Guy Loste et de son épouse Sylviane. Après avoir partagé avec eux mon intérêt pour la Normandie et les plages du débarquement, les Loste m'ont aimablement invité à faire ce voyage. N'eût été de leur générosité, la rédaction de ce livre aurait été possible, toutefois une part de poésie y serait absente. Pour cette gentillesse, je leur serai éternellement redevable.

C. Roy
printemps 2005

C'était le premier dimanche de l'année d'un hiver qui n'en finissait plus. Mais pour Marie-France DuRepos, ce serait le dernier. Dehors, la nuit claire et sans nuages balayait d'un vent dru la vingtaine d'automobiles restées figées dans le stationnement du vieil hôpital. Émile DuRepos et son fils attendaient dans le froid et le silence. Le père fixait les grandes portes vitrées du bâtiment sans rien dire, le regard chargé de tristesse et d'inquiétude. Malgré son jeune âge et toutes ces questions qui se bousculaient dans sa tête, l'enfant savait et comprenait que, pour le moment, se taire était la seule chose à faire. Mais lorsque le givre recouvrit la presque totalité du pare-brise, Martin, d'une voix faible et plaintive, ne put se retenir :

— Papa... papa... j'ai froid !

Aussitôt, Émile fit redémarrer l'auto. La chaleur ravivée réchauffa les pieds de l'enfant et fit lentement disparaître cette fine couche de cristaux qui les isolait et se refermait sur eux. Lorsque l'habitacle devint suffisamment confortable, Émile, agacé par le bruit, coupa machinalement le moteur. À la radio, des airs joyeux rappelaient qu'à l'extérieur de la vie des DuRepos, on sortait à peine du temps des Fêtes. Mais cette année, Noël avait apporté peu de joie et encore moins de bonheur. Malgré tous les présents, les bonbons et les nombreux soupers chez des amis, Martin savait que quelque chose manquait.

Depuis des mois, il ne voyait presque plus sa mère. Au tout début, son absence l'avait fait beaucoup pleurer mais trop de temps s'était écoulé et, tout doucement, l'oubli s'installa. Ces visites à l'hôpital, en plus de s'espacer, s'écourtaient de semaine en semaine. Les premières fois, on lui permettait de s'asseoir près d'elle dans son lit, comme il le faisait à la maison. Sa mère, après l'avoir serré dans ses bras et avoir caressé ses cheveux, prenait même le temps de jouer avec lui. Mais vers la fin, elle ne pouvait que lui toucher les mains quelques secondes en souriant, n'ayant presque plus la force de prononcer son nom. Elle était émaciée par la maladie qui lui rongeait les os, et sa douleur était si vive qu'on ne laissait plus Martin monter dans son lit. Il ne comprenait plus rien. Elle avait été si heureuse à la maison, toujours gaie et si présente avec lui et son père... Autrefois si jolie, elle n'était plus la même, il avait peine à la reconnaître. Elle était devenue laide, elle avait les joues creuses, le teint pâle comme de la neige et on avait coupé ses cheveux bouclés. «Pourquoi l'a-t-on amenée ici?» demandait-il après chaque visite. On le lui avait expliqué des dizaines de fois, mais il ne comprenait toujours pas pourquoi sa mère était malade.

Depuis qu'elle était à l'hôpital, elle ne riait plus. Martin détestait cet endroit, avec ces longs corridors et ces plafonds surélevés où tout résonnait comme dans une église vide. Cela l'effrayait. Tout y était tellement triste et silencieux! Les infirmières vêtues de blanc, discrètes, marchaient à pas feutrés. On n'entendait que murmures et toussotements faibles qui provenaient de ces chambres aux portes toujours fermées. Il n'y rencontrait jamais personne de son âge avec qui jouer. Il n'y avait que de grandes personnes qui ne riaient jamais et semblaient préoccupées. Un jour, exaspéré, Martin fit une crise dans l'un de ces corridors. Il voulait que sa mère rentre à la maison. Il ne voulait plus la voir couchée sur ce lit tout blanc duquel elle ne sortait jamais. Il cria, pleura et frappa sur les murs. Son père dut le sortir avec force. Dehors, secouant son fils par les épaules, Émile tenta de le calmer.

— Maman est trop malade pour revenir à la maison. Elle doit se reposer. On a déjà parlé de ça. Sois gentil, Martin, il faut que tu sois raisonnable.

Mais Marie-France ne rentrerait plus à la maison. Ces quatre murs aux couleurs mornes seraient la dernière chose qu'elle verrait. Depuis des mois, Émile tentait en vain d'expliquer cela à son fils.

Camille poussa l'une des portes vitrées de l'hôpital et s'approcha de l'auto, une main devant son visage pour se protéger du froid. À peine assise sur la banquette arrière, d'un signe de tête, elle fit comprendre à son fils que son épouse s'était éteinte.

— C'est terminé.

Camille, sans broncher, avait accompagné la mère et les sœurs de sa bru jusqu'à la toute fin. En début de soirée, après avoir avisé la famille, l'infirmière assignée à Marie-France enleva le petit tuyau qu'on lui avait introduit dans le nez pour l'alimenter. Cela ne servirait plus à rien. En moins d'une heure, son cœur épuisé et à bout de forces s'était arrêté tout doucement. La nouvelle, comme une maladie incurable, se répandit rapidement en eux, les privant de tout mouvement, de toute réaction. Dehors, seul le vent glacé frappait les portières et cinglait les vitres. Émile, d'un geste las et absent, éteignit la radio. Il n'avait pu trouver en lui la force et le courage pour se rendre au chevet de son épouse sans vie. Ce n'était pas l'image qu'il voulait garder d'elle. Le visage enfoui au creux de ses mains, il se mit à pleurer avec abandon. Sa mère restée silencieuse regardait le ciel étoilé, abrutie par le chagrin. Soudain, tout son corps fut traversé d'un grand frisson. Ce n'était pas le froid de cette nuit de janvier qui la gênait, mais cette sombre présence qu'elle sentit s'installer avec eux.

Imaginer son petit-fils sans mère l'attristait et lui déchirait le cœur, mais sa plus grande crainte était de voir son fils s'effondrer. C'était pour lui qu'elle tremblait. Elle connaissait trop bien sa fragilité, la faille, comme elle l'appelait. Qu'adviendrait-il de lui, maintenant? Pendant quelques secondes interminables, l'avenir l'effraya. Et cette peur, cette angoisse qui vous ronge de l'intérieur, celle qui l'avait déjà habitée, qui avait laissé ses traces, refit surface comme le pire des présages. Mais cette fois, Camille serait forte, elle resterait de glace. D'un geste invisible, elle chassa ses pensées. Pour la troisième fois dans sa vie, elle devrait trouver un sens au malheur qui la frappait. Se ressaisissant, elle soupira profondément. Devant eux, elle ne versa pas une larme.

Martin s'agenouilla sur la banquette avant pour faire face à sa grand-mère. La regardant droit dans les yeux, il lui demanda:

— Maman ne rentrera pas à la maison?

— Non, Martin... C'est terminé. Ta maman est partie et ne rentrera plus à la maison. Nous ne reviendrons plus ici, ajouta-t-elle, glissant sa main gantée sur le visage rose de l'enfant.

Cette année-là, dans la plus grande indifférence pour la famille des DuRepos, un homme marcha sur la Lune pour la première fois. Comme l'avait craint sa mère, Émile, pour oublier sa douleur, sombra lentement dans l'alcool. Le petit Martin, qui n'avait que quatre ans, fit la promesse de ne plus jamais mettre les pieds dans un hôpital. Et la vie de Camille, qui depuis quelques années glissait tranquillement dans la routine du vieillissement, en fut brusquement retirée. C'était elle qui, désormais, s'occuperait d'élever son petit-fils.

Marie-France fut emportée le 4 janvier 1969. Elle n'avait que 29 ans.

Après la mort de son épouse, Émile, un homme renfermé mais sensible, ne se remit jamais complètement de son absence. Le coup était trop grand, trop dur. Beaucoup trop tôt, sans raison, pour rien, la vie avait repris ce qu'elle lui avait donné de plus beau et de plus précieux. Il ne put l'accepter. Sa vengeance fut de ne rien faire et de ne plus espérer. Quelque chose dans ses yeux s'était éteint, et la chaleur de son cœur s'était dissoute. Subitement, la vie perdit ses couleurs et lui devint sans saveur. On aurait dit qu'il s'enfonçait seul dans la nuit. Malgré l'amour de son fils et de sa mère, sa vie ne reprit pas son cours normal. Toujours à la maison ou enfermé dans son atelier, aidé par l'alcool, il s'effaçait lentement dans les souvenirs de moments heureux. Quelques mois après l'enterrement, certains ne voyaient dans son comportement qu'une façon de noyer sa peine, tout au plus une réaction passagère. Au village, avec Camille, les gens voulaient se faire réconfortants.

— Ne vous inquiétez donc pas avec ça, madame DuRepos, c'est normal, tout le monde prend un verre de trop après la mort d'un proche. C'est plus facile, ça enlève la douleur, ça permet de continuer. Je vous le dis, moi, ça va lui passer, le goût de la boisson à votre fils, c'est rien !

— Bah ! oui, c'est vrai, quand Hector s'est fait emporter par la grosse tempête de 61 et qu'on n'a même pas retrouvé son bateau, ce n'était pas drôle. Après, sa femme qui ne touchait jamais un verre s'est mise à faire du vin, du rouge en plus. Elle en buvait au moins une bouteille par jour, mais là, c'est fini tout ça... elle s'est remariée et n'a jamais touché une goutte après.

— Ils ont raison Camille, c'est normal qu'il veuille oublier, votre fils, perdre sa femme de cette façon, aussi jeune, c'est dur, c'est trop dur pour un homme. Mais ça ne durera pas, dans six mois ce sera terminé et dans deux ans il sera remarié, parce que votre Émile, c'est un beau garçon quand même.

Mais les années avaient passé, Émile avait vieilli et plus rien n'était revenu comme avant. Il ne s'était jamais remarié et ne fréquenta personne, comme si cette mort soudaine avait emporté sa capacité d'aimer. Les premières années, il lui arrivait de donner du temps à son fils et même de jouer avec lui. Mais le plus souvent, il se sentait incapable d'assumer une telle responsabilité. Si la ressemblance avec sa mère avait été moins grande, peut-être que cela aurait facilité les choses.

Un jour, alors que Martin n'avait que huit ans, en rentrant de l'école, il découvrit son père étendu par terre, endormi sous la table de la cuisine. C'est à ce moment que sa grand-mère, qu'il était allé chercher en panique, lui expliqua la signification du mot alcoolisme. Martin comprit alors pourquoi il n'y avait jamais d'argent à la maison et que le carnet de commandes en était venu à se vider. Depuis des années, la clientèle de son père déclinait. Un à un, et on ne pouvait leur faire de reproches, les clients riches de la ville, qui achetaient ses magnifiques meubles, tables, guéridons et armoires d'érable et d'ébène, désertaient son atelier.

Malgré l'alcool, son travail était resté remarquable et faisait toujours l'envie des meilleurs menuisiers de la région. Il ne buvait jamais en travaillant, mais comme il buvait souvent, il travaillait peu. Il avait de plus en plus de difficulté à respecter ses échéanciers… on n'avait plus confiance en lui. Un meuble ou une réparation qui normalement lui aurait demandé quelques jours de travail pouvait s'éterniser pendant des semaines. Évidemment, sa réputation s'était entachée, et les clients en étaient venus à s'impatienter.

Heureusement, il lui restait ces quelques fidèles, peu préoccupés par les délais, qui recherchaient la qualité avant tout. Mais même ceux-là commençaient à se faire rares.

Enfant, Martin s'installait sur un tabouret et observait son père travailler pendant des heures, sans rien dire, fasciné. Entre deux coups de rabot ou de cisailles sur le bois noir et dur, Émile lui demandait à la blague : « Tu aimerais ça, le métier d'ébéniste ? Tu sais, c'est le plus beau métier du monde. » D'un signe de tête, Martin répondait oui en souriant. Et il restait là à respirer la douce chaleur du petit poêle et à sentir l'odeur sucrée du bois fraîchement travaillé. Les quatre murs de l'atelier étaient chargés d'outils. Même s'il lui était interdit de toucher ces outils pointus et coupants, il adorait passer du temps dans l'atelier. C'était de voir son père à l'œuvre qui l'impressionnait. Jamais pressé, jamais impatient, il accordait une minutie et une attention égales à tous les meubles qu'il faisait ou réparait, peu importe à qui appartenait la commande. Mais lorsque Martin entrait dans l'atelier et trouvait son père assis dans sa vieille chaise berçante, il savait que sa journée serait sans travail. Ces jours-là, Émile buvait. Dans un silence lourd, ne se levant que de temps à autre pour alimenter son poêle d'un rondin, seul, il broyait du noir. Il regardait par la grande fenêtre, les yeux vides, l'air sombre et triste.

S'il ne buvait pas et n'avait pas de travail, il lui arrivait de lire. Depuis des années, il relisait les mêmes livres. D'ailleurs, de toutes ses lectures, c'était *Les Misérables* qu'il préférait et de loin. La vieille édition en trois volumes cuivrés lui avait été offerte par sa grand-mère pour ses treize ans. Dans une petite armoire vitrée de son atelier, il gardait toujours quatre ou cinq livres. Un jour, trouvant son père plongé dans *Les Misérables*, Martin lui demanda pourquoi il relisait si souvent cette longue histoire. Lentement, Émile referma son livre sans rien dire et regarda dehors comme si la réponse s'y trouvait. Puis, sans même se retourner vers son fils, il dit :

— Parce que Hugo a tout mis dans ce livre, il a tout dit, c'est la plus belle des histoires, c'est la seule histoire, il n'y a rien de comparable. Tous les livres sont dans *Les Misérables*, il n'y a rien d'autre… rien !

Et il avait rouvert son livre et repris sa lecture.

Malheureusement, la plus belle histoire du monde, comme il le disait, était incapable de le sortir de ces périodes de grisaille. Lorsque ces nuages brouillaient son esprit, il y restait quelques heures ou quelques jours. Puis, balayés par un regain d'espoir, ils disparaissaient pour un certain temps. Malgré ces longues absences, malgré l'alcool, Émile ne fut jamais sans tendresse pour son fils. Et peu importe les reproches que on adressait à son père, Martin l'aimait en dépit de ses problèmes.

Si Martin avait trop peu connu sa mère, Émile n'avait jamais vu son père. Ce lien, comme celui du sang, les unirait pour la vie.

Lorsque les craintes de Camille se confirmèrent, soit qu'il était maintenant peu probable que son fils se remette de la mort de son épouse, elle sentit une responsabilité toute naturelle de prendre soin de celui qui serait son unique petit-fils. Probablement parce qu'elle ne s'était jamais mariée, au village sa décision en avait surpris plusieurs. Même si on avait du respect pour elle, certains, ceux qui la connaissaient mal d'ailleurs, la considéraient comme une femme peu expressive et froide. De mauvaises langues allaient jusqu'à dire qu'elle était incapable d'aimer. Cette perception était fausse. Si Camille gardait ses distances, sortait peu et fréquentait les mêmes amies depuis des années, elle avait ses raisons, et celles-ci n'avaient rien à voir avec un manque d'amour. Elle aimait la solitude et n'avait jamais été du genre pour qui socialiser était important. Et si cela n'était pas visible pour tous, avec le temps, malgré les épreuves et les difficultés, sa vie avait fini par se meubler de petits événements heureux qui la satisfaisaient et lui apportaient un certain bonheur. Mais la mort de sa bru, le plus grand malheur de son fils, lui avait donné quelque chose qu'elle croyait impossible de ravoir : une seconde chance.

Cette mort prématurée lui avait permis d'élever un deuxième fils. Camille DuRepos était donc entrée dans la vie de Martin avec toute la tendresse, l'attention et l'amour qu'une mère pouvait donner à un enfant de quatre ans. Jamais elle ne s'était plainte ou n'avait regretté cette décision. Pour elle, son fils était un homme malade et il n'y avait aucune raison de faire souffrir son petit-fils en plus. Quelqu'un devait s'occuper de cet enfant et cette responsabilité, sans l'ombre d'un doute, Camille maintenait qu'elle lui revenait. Même si elle avait passé l'âge d'élever un aussi jeune enfant, à sa manière elle avait admirablement su répondre à son besoin d'affection.

Martin garda très peu de souvenirs de sa mère. Le temps passa et l'amour de son père et de sa grand-mère vint à bout de sa peine d'enfant. Il ne lui restait plus de sa mère que cette image impérissable d'une femme au doux visage, couchée dans un lit tout blanc. Sa voix, ses caresses, toute sa tendresse et son amour avaient fini par s'éteindre, par disparaître.

Discipliné et docile de nature, il ne fut jamais une source de problèmes pour son père et sa grand-mère. Dès son entrée à l'école, il se distingua des autres par son intelligence. Malheureusement, les classes l'ennuyaient. Il démontrait de la facilité dans tous les sujets, mais seules la géographie et l'histoire suscitaient un réel intérêt d'apprentissage. Tous ses professeurs, année après année, étaient unanimes. «Martin s'applique peu, mais réussit bien. Il est poli, respecte les règlements et le personnel enseignant. Toutefois, s'il mettait davantage d'effort, il atteindrait facilement l'excellence dans toutes les matières.»

Ces remarques, Camille les avait retrouvées dans tous les bulletins scolaires de son petit-fils. Les premières fois, elle tenta de le convaincre d'en faire plus, de faire attention, mais cela ne changea rien. Il s'entêta à ne pas faire d'effort. De toute manière, les bravos et l'excellence l'indifféraient. Camille comprit vite qu'il resterait ainsi et n'aborda plus le sujet. Mais dès l'arrivée des vacances, Martin se transformait littéralement. Plein d'énergie et d'enthousiasme, il aimait tellement l'été qu'il en oubliait presque la rentrée de septembre. Et pourtant, les vacances chez les DuRepos se résumaient à bien peu de choses. On ne voyageait pas, on ne louait pas de chalet au bord de la mer et Martin n'avait jamais mis les pieds dans un camp d'été. En plus, il avait rarement l'occasion d'aller jouer chez les autres. Sur ce point, Camille, qui pourtant était très tolérante et laissait à son petit-fils toutes les libertés, était intraitable. Mille fois elle lui répéta :

— La cour est assez grande, tu n'as pas besoin d'aller traîner chez les voisins.

Presque toutes ses vacances, il les passait à s'amuser au petit ruisseau derrière le boisé. Tous les jours de la semaine, excepté le dimanche où il devait accompagner sa grand-mère à la messe de dix heures, son univers se limitait à ces quelques arpents de terre. Il arrivait que, pour une fête de village ou l'anniversaire d'un camarade de classe, il obtienne cette permission très spéciale de voir autre chose que les berges de son ruisseau. Martin se plaignait rarement de cette restriction.

Ce petit bout de rivière était le plus beau terrain de jeux qu'un enfant solitaire puisse souhaiter. Tous les étés, il y découvrait quelque chose de nouveau et de merveilleux. Et s'il lui était rarement permis de sortir de la cour, en revanche les autres enfants étaient toujours les bienvenus chez lui. Camille ne fermait sa porte à personne.

Les années passaient et, de loin en loin, les jeux d'enfants cédèrent leur place à l'adolescence et aux premiers balbutiements de l'âge adulte. À dix-huit ans, Martin se tournait déjà vers les projets d'avenir. Sa passion pour la géographie et l'histoire ne s'était jamais démentie. Avant d'entreprendre des études postsecondaires, il voulait voyager. À la fin de sa dernière année scolaire, quelques semaines avant l'obtention de son diplôme, il informa sa grand-mère de son projet. Camille, même si elle le trouvait un peu jeune pour cette aventure, n'exprima aucune réserve. Le seul problème, et il était de taille, Martin était sans le sou. Camille lui suggéra d'en parler avec son père.

— Demande à ton père s'il n'aurait pas du travail pour toi à l'atelier. Il vient de décrocher quelque chose pour l'église. Si tu travailles tout l'été, tu pourras partir à l'automne.

— Tu crois qu'il acceptera?

— Pourquoi pas? Tu as déjà travaillé avec lui.

— C'était pour l'aider. Ce n'était pas vraiment du travail.

— Et puis après? Tu n'as rien à perdre. De toute façon, s'il refuse, tu iras voir ailleurs, c'est tout.

Le lendemain, sur le conseil de sa grand-mère, Martin se rendit à l'atelier pour parler à son père. Il ignorait que Camille en avait déjà glissé un mot à son fils, qui n'avait rien contre l'idée.

Mais avant cela, il y eut toute une vie…

Saint-Hyacinthe 1891

Louis-Joseph DuRepos, né au printemps de 1891, sur la plus grosse ferme laitière de Saint-Hyacinthe, était le septième garçon d'une famille de 12 enfants. Les DuRepos ne manquaient de rien et étaient très respectés dans tout le comté. Louis-Joseph, un enfant curieux et intelligent, fut retiré de l'école, comme ses frères avant lui, à la fin de sa huitième année. Son père, un gros travailleur au caractère acariâtre, jugeait sans appel qu'une fois qu'un homme pouvait suffisamment lire, écrire et compter, l'éducation n'était rien d'autre qu'un luxe.

— Après un certain temps, l'école, c'est pour les riches ou les prêtres, disait-il de son ton bourru.

À la maison, il élevait ses douze enfants d'une main ferme, qui parfois frôlait la cruauté. Pendant des années, Louis-Joseph avait souffert de cet arrêt brutal d'éducation. D'ailleurs, il exprimait haut et fort à qui voulait l'entendre que la vie sur la ferme, avec son travail dur et sans fin, n'était pas faite pour lui. Tous les jours, dans la grange, en pelletant le fumier, il le répétait à Xavier, son frère aîné de deux ans :

— Si tu penses que je vais travailler comme ça toute ma vie, tu te trompes.

— Tais-toi, Louis-Joseph, si le père t'entend encore te lamenter, il ne sera pas content.

— Ça ne me fait rien, ce qu'il dit, le père. Moi, j'en ai pas pour longtemps ici de toute façon. Il pourra bien faire ce qu'il veut, le bonhomme, dès que j'aurai assez d'argent de côté, je disparais. Terminé le fumier.

Quatre ans après avoir été forcé de quitter l'école, Louis-Joseph avait accumulé ce qu'il estimait être la somme de sa liberté et le courage d'annoncer sa décision à son père. Pensant adoucir sa réaction, il fit part de son projet à l'heure du souper, au moment où toute la famille était réunie autour de la table. Monsieur DuRepos, après avoir écouté son fils, resta de glace. Puis, comme un orage, il fit une scène épouvantable. Les plus jeunes de ses enfants, qui avaient déjà peur de leur père, éclatèrent en sanglots. À bout d'arguments et d'insultes, le visage rougi de colère, il gifla violemment son fils et le déshérita sur-le-champ.

— Quand un homme abandonne père et mère et le bien familial, il n'a plus sa place à la table. Ne remets plus jamais les pieds sur ma ferme... furent les dernières paroles que vociféra monsieur DuRepos.

Louis-Joseph, blessé par un tel traitement, mais tout aussi orgueilleux que son père, ne revint pas sur sa décision. Il ne remit jamais les pieds sur la ferme et ne revit jamais son père vivant. À 17 ans, sans métier, sans emploi, n'ayant dans ses poches qu'une poignée de dollars, il quitta Saint-Hyacinthe pour la grande ville.

Quelque mois plus tard, sa mère, avec l'aide de l'une de ses sœurs qui habitait Montréal, finit par le retracer. Femme timide et réservée, Marie-Ève DuRepos portait le fardeau d'un mariage malheureux. Elle adorait ses enfants mais, sous l'emprise de son mari qu'elle craignait, jamais elle n'aurait ouvertement contesté la sévérité de son jugement. Elle faisait comme plusieurs autour d'elle : elle se taisait, priait et souffrait en silence. Lorsqu'elle obtint l'adresse de ce taudis où son fils louait une chambre, elle lui fit parvenir un peu d'argent. Ce fut le dernier contact qu'elle eut avec lui. Comme il était strictement interdit de mentionner le nom du fils banni devant son père, tristement, Louis-Joseph, avec les années, devint pour ses frères et sœurs un souvenir, une rumeur qui, de temps à autre, refaisait surface au détour des conversations.

Si le travail à la ferme avait été dur, ceux qu'il dénichait à droite et à gauche l'étaient tout autant. La ville, il le réalisa très vite, n'avait aucune pitié pour les hommes sans métier. Louis-Joseph avait tant besoin d'argent qu'il faisait n'importe quoi. Son manque d'instruction, il le compensait par la force de ses bras. Travailleur assidu, il ne donnait jamais dans la paresse. Habitué aux longues heures et au labeur de la ferme, il se dénichait souvent du travail comme débardeur au port. Cela payait pour sa nourriture et sa mansarde, mais il n'y trouvait ni plaisir ni permanence. Si seulement il avait pu se lier d'amitié avec les petits contremaîtres, ces derniers auraient pu favoriser sa situation. Mais voilà, il était trop solitaire pour s'attirer une quelconque sympathie de ses supérieurs. On appréciait son travail et sa hardiesse, mais dès que la besogne était terminée, on l'oubliait. Après avoir survécu pendant trois ans, de peine, de beaucoup de misère et de mille et un métiers, un jour où il avait le ventre creux, une petite annonce dans la devanture d'une boutique allait changer sa vie : **Apprenti photographe demandé**.

Alfred Labonté, le propriétaire de la boutique, n'était pas vraiment photographe. Ancien professeur de rhétorique au Petit Séminaire de Montréal, il avait développé à la fin de sa carrière une passion pour la photographie. Initié par un collègue de travail, il en vint en quelques années, à temps perdu, à se monter un petit studio au premier étage de sa maison. Il prenait çà et là des contrats qu'il honorait avec professionnalisme. Ce n'est qu'une fois retraité qu'il avait transformé son hobby en un métier. Loin d'abonder, la clientèle en vint quand même à demander plus qu'il ne pouvait donner. À soixante-neuf ans, il tenait à conserver sa bonne santé pour encore longtemps.

— Ce serait bête de se tuer pour un passe-temps, disait-il à son épouse qui aurait bien aimé qu'il abandonne ce qu'elle qualifiait de folie.

— Ce sera votre dernière lubie si vous n'êtes pas plus raisonnable, répétait-elle, agacée de le voir travailler si dur.

Pour faire taire les récriminations de son épouse, il décida donc de trouver un assistant.

Bien que la main-d'œuvre soit abondante et que plusieurs candidats aient manifesté de l'intérêt pour le poste, monsieur Labonté ne trouvait pas l'homme qu'il cherchait. Et pendant des mois, l'affiche « Apprenti photographe demandé » demeura accrochée dans la vitrine. S'il était si pointilleux et tardait autant dans son embauche, il avait ses raisons. Père de cinq filles, toutes mariées, aucune d'entre elles (ni même ses gendres) n'avait exprimé le moindre intérêt et encore moins l'envie de perpétuer le commerce familial. En fait, plus qu'un simple employé, secrètement, c'était un héritier que recherchait le vieux professeur. Et cet homme, il en eut la conviction en le voyant, il le trouva en Louis-Joseph.

Depuis des semaines, chaque matin Louis-Joseph passait devant cette annonce qui ne cessait d'attirer son attention. Jamais il n'aurait osé entrer dans la belle boutique. Il ne connaissait rien à la photographie, n'avait aucune expérience, mais l'idée de faire un métier qui ne l'obligerait plus à se salir les mains et où il n'aurait plus mal au dos tous les soirs en se couchant l'ensorcelait. Puis un jour, soudainement pris d'un élan de courage et d'audace, il se décida enfin à se présenter pour le poste. N'y tenant plus, il mit la seule chemise blanche qu'il possédait, enfila ses pantalons les plus propres et d'un pas décidé partit tenter sa chance. Nerveux, il ouvrit la porte du studio avec une telle brusquerie qu'il fit sursauter monsieur Labonté qui, en sarrau blanc, s'affairait à nettoyer l'un de ses appareils photo. Légèrement contrarié, il salua avec agacement l'intrus.

— Qu'est-ce que je peux faire pour vous?

Louis-Joseph perdit subitement contenance devant le vieil homme et se mit à tripoter nerveusement sa casquette dans ses mains.

— Je viens pour l'annonce!

Monsieur Labonté, toujours concentré sur son travail délicat, leva sa tête toute blanche pour mieux examiner le candidat: «Ah oui, l'annonce... je vois.» Les habits de Louis-Joseph n'avaient rien de bien convaincant. Sachant à l'avance la réponse, il demanda quand même s'il avait de l'expérience.

— Avez-vous déjà travaillé dans le domaine de la photographie, jeune homme?

Hésitant quelque peu, Louis-Joseph répondit d'un seul trait, sur un ton qui frôlait l'arrogance.

— Non! Non, je n'ai jamais fait ce genre de travail. Mais je n'ai pas peur de travailler et j'apprends vite.

Le professeur, quelque peu surpris, fixait le jeune effronté. Amusé par son impertinence, il le questionna davantage.

— Vous êtes allé à l'école... je veux dire, vous savez lire et écrire?

Louis-Joseph, voulant corriger sa maladresse, se reprit avec plus de politesse.

— Oh oui, Monsieur, lire, écrire, compter, je n'ai aucun problème avec ça. Sœur Jeannette, à la petite école, me disait souvent que j'étais un enfant doué. J'ai de bonnes références aussi, je peux vous donner des noms.

Le professeur, souriant, lui fit comprendre d'un geste de la main que cela serait inutile. Il s'avança vers Louis-Joseph qui, soudain, gagné par la crainte d'avoir trop insisté, faillit faire un pas en arrière. Heureusement, au dernier moment, il se retint.

— Montrez-moi vos mains, s'il vous plaît.

— Pardon ? demanda Louis-Joseph.

— Montrez-moi vos mains… allez !

Louis-Joseph fourra avec empressement sa casquette dans la poche arrière de son pantalon et tendit nerveusement ses mains. Le professeur examina ces gros doigts bourrus et calleux, visiblement habitués aux travaux manuels. Ce n'était pas ce qu'il voulait voir. Une grimace lui pinça le visage. Pour le travail, il n'avait pas menti. Ses mains qui en gardaient les ravages en étaient la preuve. C'était bien là le problème. Monsieur Labonté croyait fermement que pour faire de la photographie, une dextérité fine et souple était indispensable pour la manipulation des appareils. Il retourna lentement derrière son comptoir, l'air préoccupé. Pendant un long moment il ne dit rien ; puis, surpris lui-même, il fit une proposition.

— Deux semaines, je vous mets à l'essai pour deux semaines. Mais entendons-nous bien, jeune homme, si d'ici cette date vous ne rencontrez pas mes exigences, notre relation s'arrête là. Il n'y aura pas de suite. Est-ce que je me fais bien comprendre ?

Le professeur, qui attendait une réponse, regrettait déjà sa proposition. Il commettait sans doute une erreur. « Qu'à cela ne tienne, se dit-il, dans deux semaines je le mettrai à la porte, ce sera tout et on n'en parlera plus. » Louis-Joseph, muet, n'arrivait pas à croire ce qu'il venait d'entendre. Si monsieur Labonté considérait cette rencontre sans lendemain, lui y investissait déjà, en quelques secondes, l'espoir de toute une vie. Persuadé d'essuyer un refus, il faillit pleurer de bonheur. Il voyait enfin sa chance tourner. Ne pouvant se contenir, il voulut exprimer sa gratitude à son nouvel employeur. Pointant ce dernier, il dit :

— Vous ne le regretterez pas, vous verrez. J'apprendrai, je ferai tout ce que vous me demanderez.

Monsieur Labonté, sensible à ce débordement d'enthousiasme, ne put que sourire aimablement et lui dit :

— Bon, eh bien, cela est entendu, demain matin, 8 h 30 sans faute.

Louis-Joseph, trépignant presque de joie, s'apprêtait à sortir lorsque monsieur Labonté l'arrêta.

— Pardon, jeune homme, je ne vous ai même pas demandé votre nom.

— Louis-Joseph, monsieur, Louis-Joseph DuRepos.

L'intuition du vieux professeur ne lui fit pas défaut. Même si son nouvel apprenti n'avait aucune expérience du monde de la photographie, il reconnut rapidement en lui les qualités nécessaires pour réussir dans ce métier. Légèrement taciturne mais perfectionniste, Louis-Joseph possédait le minimum de courtoisie nécessaire pour travailler avec le public. De plus, et c'était là le cœur du travail, il pouvait sans se plaindre passer des heures seul dans la chambre noire, à travailler au développement des clichés. Dans les premiers mois, mille fois monsieur Labonté dut lui répéter de se servir de sa tête et non de ses bras lorsque quelque chose ne fonctionnait pas. Malgré tout, jamais il ne perdit confiance en son poulain. Sa volonté d'apprendre était trop grande pour qu'il lui fasse le moindre reproche. Et en peu de temps, non seulement Louis-Joseph apprit le maniement des appareils photo, mais il en perça aussi les secrets.

Suite à une recommandation de son patron, l'un des premiers achats de Louis-Joseph fut un complet trois pièces, une chemise blanche et des souliers noirs.

Dès la première semaine, monsieur Labonté lui avait poliment fait remarquer : « Ici, vous n'êtes pas au port de Montréal, il faut se raser tous les matins. Vous apprendrez que la clientèle est un monde étrange. Dès qu'elle aperçoit un homme en habit et portant des souliers vernis, elle s'imagine qu'elle peut lui donner toute sa confiance. Entre vous et moi, cela est bien peu pour juger de l'honnêteté d'un commerçant. Mais que voulez-vous, si vous voulez réussir en affaires, il vous faudra soigner votre image. C'est comme ça.»

Mais en plus de lui avoir donné un emploi, de le conseiller sur les bonnes manières, monsieur Labonté s'occupa même de l'instruction de son jeune protégé. Dès leur première rencontre, il avait senti chez lui une soif de connaissances qui dépassait la simple curiosité. Un jour, confiné dans l'intimité de la chambre noire, Louis-Joseph, tout en travaillant, confia à son patron qu'il se sentait souvent ignorant des choses importantes. Monsieur Labonté, touché par la confidence, y vit une ouverture pour corriger la situation.

— Vous savez, Louis-Joseph, il y a plusieurs façons d'acquérir de l'instruction. Les voies du savoir ne passent pas toutes par des institutions officielles. Si vous me le permettez, en tant qu'ancien professeur retraité, je pourrais peut-être vous aider dans ce domaine.

Jamais Louis-Joseph n'aurait refusé une telle proposition de cet homme pour qui, depuis des mois, son affection ne faisait que grandir.

— Premièrement, à partir d'aujourd'hui, vous allez lire le journal quotidiennement. Avant de vouloir comprendre le monde, il est indispensable de savoir ce qui se passe dans sa cour. Imaginez, à quoi vous servirait d'être informé des troubles qui grondent dans notre vieille Europe si vous ignorez qu'il se tiendra des élections municipales ici ce printemps? Établissons la fondation, ensuite on érigera la structure.

Ainsi monsieur Labonté ne fit pas qu'ouvrir sa bibliothèque, il suggéra même à Louis-Joseph des lectures qui lui seraient des plus bénéfiques. Mais les livres ne furent pas suffisants. Le jour où Louis-Joseph ramena celui de Friedrich Nietzsche, qui lui avait demandé plusieurs semaines de lecture, le professeur, curieux, se mit à le questionner.

— Et puis… la philosophie, ça vous a plu?

Mal à l'aise, Louis-Joseph finit par répondre:

— En toute honnêteté, monsieur Labonté, je n'y ai pas compris grand-chose. Votre Nietzsche, je le trouve bien compliqué.

Quelque peu surpris, le professeur demeura silencieux un moment.

— Vous avez sans doute raison. Moi-même, je n'y vois pas toujours clair. Écoutez! Jeudi, après le souper, venez à la maison, on en discutera. C'est le meilleur moyen d'apprendre.

Et les jeudis soir passés au petit salon devinrent coutume. Louis-Joseph et monsieur Labonté y discutaient politique, littérature, philosophie et même spiritualité. La première année, de tous les livres que lui prêta le professeur, c'est de *Germinal* de Zola qu'il tira le plus de plaisir. Il était persuadé qu'Émile Zola était le plus grand des écrivains français. Dès les premières pages, il s'identifia à Étienne Lantier, le héros du roman. Il comprit l'injustice et il sentit la misère de ces mineurs qui se tuaient à l'ouvrage au fond de ces galeries étroites et sombres. Même s'il n'avait jamais fait ce travail, ces trois années à traîner dans la ville, le ventre vide, à quémander la moindre besogne pour survivre, lui rappelèrent à quoi pouvaient ressembler leurs souffrances.

Au fil du temps et de ses lectures, tranquillement, il avait l'impression que son esprit et sa pensée s'affinaient. Si au cours de leurs discussions les jeudis soir monsieur Labonté parlait encore beaucoup, Louis-Joseph exprimait de plus en plus ses opinions qui, peu à peu, se précisaient. Loin de déplaire à son maître, cette nouvelle assurance le réjouissait. Même s'il ne fréquenterait jamais l'Université, Louis-Joseph gagnait constamment en confiance. Ses progrès étaient notables; boulimique, il voulait tout savoir, tout connaître, tout comprendre. Mais un soir, au détour d'une conversation au cours de laquelle il s'était quelque peu emporté, monsieur Labonté, excédé, dut calmer les ardeurs de son fidèle apprenti.

— Mon cher Louis-Joseph, on ne peut remplacer les années d'études par une poignée de rencontres et quelques livres. Vous voyez trop grand. Vous ne pourrez tout comprendre, personne ne le peut. Développer une connaissance générale, ce sera déjà très bien.

Vexé par les remarques du professeur, Louis-Joseph quitta le salon plus tôt qu'à son habitude. Mais cette vérité l'aida à tempérer sa soif de connaissances. Après quelques heures à marcher dans la nuit fraîche, il se retrouva par hasard en face du port de Montréal qui, même à cette heure tardive, bourdonnait d'activité. Il prit soudainement conscience du chemin qu'il avait fait en un peu moins de dix-huit mois. Tout un monde le séparait désormais de ce qu'il avait été et de ce qu'il devenait. Cela, il ne devait jamais l'oublier.

Cinq années s'écoulèrent dans le travail et l'apprentissage. Monsieur Labonté, à soixante-quatorze ans passés, travaillait de moins en moins. En fait, il pouvait passer des semaines entières sans mettre les pieds au studio. C'était Louis-Joseph qui s'occupait de tout. Finalement, largement aidé par son bienfaiteur, il devint propriétaire du studio. Pour une somme dérisoire, il acheta tout l'équipement de monsieur Labonté et hérita du même coup, et c'est là la plus grande valeur de tout commerce, d'une bonne partie de la clientèle. Louis-Joseph payerait l'équipement comme et quand il le pourrait. Le loyer pour le studio serait payé tous les mois. Ces conditions, il avait juré sur l'honneur de sa mère qu'il s'en acquitterait. Monsieur Labonté, par l'entremise d'une connaissance influente, fit obtenir à Louis-Joseph une dispense du service militaire. L'esprit en paix, il put librement réaliser son rêve. À l'été de 1917, en pleine guerre mondiale, on vit circuler pour la première fois en ville de petites cartes d'affaires sur lesquelles était imprimé : **L. J. DuRepos, photographe**.

À la fin de la Première Guerre mondiale, à vingt-huit ans, Louis-Joseph, après de courtes fréquentations, épousait la plus jeune fille d'Eugène Fillion, ingénieur de père en fils depuis trois générations. La famille Fillion avait été parmi les premiers clients de monsieur Labonté. Janine, malgré son embonpoint, avait un beau visage et était dotée d'une élégance toute naturelle. Toujours enjouée, elle savait ce qu'elle voulait de la vie et nourrissait des ambitions modestes. Cela plut à Louis-Joseph, qui avait en horreur les mondanités. Avant son mariage, Janine meublait tout son temps de deux activités : elle lisait ou jouait du piano. Si ces simples activités la comblaient et faisaient son bonheur, ses parents s'en inquiétaient quelque peu. Elle vouait une telle affection à cet instrument que sa mère trouvait cela inconvenant. Parfois, à bout de patience, elle la grondait.

— Janine, si tu passes toutes tes journées à jouer de ce piano, jamais tu ne trouveras mari. Sors ! Va au théâtre, tes cousines sont en ville, tu devrais les inviter pour un goûter ou une marche dans le parc. À ton âge, tes trois sœurs étaient déjà mariées.

— Maman ! Voyons ! lui répondait Janine, agacée. Pourquoi j'inviterais ces sottes ? À part leur garde-robe, elles ne connaissent rien.

Elle voyait rarement des gens de son âge. Sa mère comme son père s'étaient faits à l'idée qu'à vingt-quatre ans, Janine resterait vieille fille.

Louis-Joseph fut son premier et seul prétendant. Il était sans fortune mais toujours bien habillé, et il avait de belles manières. De plus, il aimait la musique et avait beaucoup lu. Janine ne pouvait trouver meilleur parti. Sa situation, bien qu'honnête et stable, était loin de rencontrer les attentes qu'Eugène Fillion avait fixées pour ses enfants. Mais dans les circonstances, il n'oserait lever le nez sur ce futur gendre. Tout comme son épouse, il se disait : « Enfin, Janine s'est trouvé un mari. »

Sans la moindre hésitation, monsieur Labonté accepta de servir de témoin à leur mariage. Mais, comme cela arrive à l'occasion, les grands bonheurs sont parfois accompagnés par l'adversité. Trente jours après les noces, monsieur Labonté s'éteignit dans son sommeil. Pendant des mois, secrètement, Louis-Joseph pleura la disparition de l'homme qui avait changé sa vie, ce dont il lui serait éternellement redevable.

Les nouveaux mariés s'installèrent au deuxième étage du local qu'il louait pour son travail. De cette façon, ils éviteraient de payer un loyer supplémentaire. Ils ne planifiaient pas avoir une grande famille. L'appartement, avec ses deux chambres à coucher, leur suffirait. Une fille vit le jour au mois de novembre 1922. Janine voulut la baptiser du nom de Cosette, l'héroïne du roman de Hugo. Mais son père, qui généralement se gardait d'exprimer ses opinions sur ce genre de choses, ne put taire son désaccord.

— Cosette! Mais, tu n'es pas sérieuse, Janine! Penses-y un peu. Cosette, c'est un prénom des *Misérables*, ce n'est pas l'avenir que tu veux donner à notre petite-fille.

Janine et Louis-Joseph optèrent pour Camille. Aussitôt, le prénom fut accepté de tous.

Camille, un enfant doux au visage angélique, inonda le foyer des DuRepos d'un bonheur que Louis-Joseph avait jusqu'à ce jour cru impossible. À peine un an plus tard, au terme d'une grossesse difficile et d'un accouchement pénible, un fils vint doubler leur joie. Tout le contraire de sa sœur, le petit Jean-Paul était criard et chétif. Huit mois après sa naissance, Janine retrouva l'enfant mort dans son berceau. Déchiré par cette perte, Louis-Joseph faillit mourir de chagrin. N'eût été de Camille, qu'il berçait pendant des heures pour oublier son malheur, jamais il n'aurait accepté cette part du destin.

Janine se remit mal de cette deuxième couche. La mort de son fils marqua la fin de ses grossesses. Pendant plusieurs années, elle tint la porte de sa chambre à coucher fermée tous les soirs. Louis-Joseph n'eut d'autre choix que de coucher sur le grand canapé du salon. Questionnée par sa mère sur son devoir conjugal, Janine, déterminée, répondit sèchement.

— J'ai suffisamment donné !

Elle était croyante et pratiquante mais, sur certains sujets, elle maintenait que l'Église et ses patriarches auraient dû garder le silence.

— La procréation, c'est l'affaire des femmes. Avec Camille, ma famille est maintenant complète.

Montréal, 1924

Louis-Joseph se croyait installé à Montréal pour la vie. Les affaires, sans être abondantes, étaient bonnes, et sa clientèle lui restait fidèle. S'il faisait quelques profits chaque année, il le devait à ses déplacements dans les régions éloignées. Dès le début de sa carrière, il constata qu'en ville, les compétiteurs étaient nombreux et la compétition, souvent déloyale. En plus de prendre une part du marché, ces photographes amateurs qui du jour au lendemain s'improvisaient professionnels nuisaient au métier par la qualité médiocre de leur travail. Et cela, Louis-Joseph ne pouvait le supporter. Il décida alors d'agrandir son territoire et d'offrir ses services là où la photographie de qualité se faisait rare et serait appréciée. Avec sa vieille Ford noire, qu'il acheta pour presque rien, dès la première semaine de juin 1924, il laissa femme et enfant derrière et prit la route de la Gaspésie. Pendant près de trois mois, il photographia à perte des dizaines et des dizaines de fiançailles, de mariages, de nouveau-nés, de familles, d'églises, de graduations, de bateaux de pêche et parfois des magasins généraux et, planté bien droit devant, leur propriétaire au sourire auguste. Dès lors, chaque été, une fois les routes redevenues praticables, il refaisait le même trajet. Avec le temps, il parvint à se construire une clientèle solide dans presque tous les villages qu'il visitait. À la fin du mois d'août, après avoir parcouru un peu plus de 3000 kilomètres, il rentrait en ville et reprenait son travail au studio. Même si l'hiver les affaires étaient au ralenti, avec ce qu'il gagnait dans sa grande tournée d'été, Louis-Joseph et sa famille menaient une vie confortable.

Janine ne se plaignait jamais de ses longues absences. Plus encline à la vie artistique qu'au quotidien de la vie de couple, elle savait profiter pleinement de ces mois de liberté. Consacrant la plus grande partie de son temps à sa fille qu'elle avait en adoration, elle s'occupait également des affaires du studio en fixant les rendez-vous pour l'automne. Étant donné qu'elle et sa fille ne manquaient de rien, elle se permettait même quelques luxes en allant au théâtre et aux concerts. Un été particulièrement chaud, où même une simple promenade au parc était impensable, elle se paya la collection complète de *La Comédie humaine*. En trois mois, dans la chaleur étouffante de son appartement, elle lut l'œuvre au complet. Parfois, rongée par la curiosité et ne pouvant plus se retenir, elle se levait en pleine nuit pour reprendre sa lecture. Elle garda le plus délicieux souvenir de cet été qu'elle passa en compagnie de Balzac. Le soir, une fois Camille couchée, elle s'installait souvent au piano droit et jouait pendant de longues heures. Si de l'extérieur sa vie semblait sans éclat et fort tranquille, Janine, au contraire, ne pouvait être plus heureuse.

Ce fut au cours de l'une de ses tournées en Gaspésie qu'un client de Percé, où Louis-Joseph louait une chambre, lui demanda pourquoi il n'irait pas chercher quelques clients du côté du Nouveau-Brunswick. Il lui expliqua qu'en face, tout le long de la péninsule, il y avait des dizaines de petits villages où on parlait français. À sa connaissance, le seul photographe sérieux demeurait à Bathurst, mais il était trop âgé pour voyager. Curieux, mais y voyant avant tout une opportunité d'affaires, Louis-Joseph sortit de sa province pour la première fois deux jours plus tard. Il traversa la frontière le 29 juillet 1928. Après cette date, sa vie ne serait plus la même.

Si les routes de terre battue étaient étroites, trouées par endroits et quasi impraticables, spontanément, Louis-Joseph tomba amoureux de ce pays. Plus il avançait, longeant les côtes, plus ce sentiment se confirmait. Au bout d'une semaine, après avoir trouvé plusieurs villages et avoir parlé avec des dizaines de personnes, et ne pouvant plus contenir ce qu'il ressentait, il prit le temps d'écrire à son épouse. Par une belle matinée, installé près d'un petit quai où plusieurs pêcheurs s'apprêtaient à prendre la mer, il écrivit sa lettre. Pendant de longues minutes, il chercha ses mots, chose qu'il faisait rarement lors de ses voyages. Il voulait expliquer dans le moindre détail ce qu'il venait de découvrir et ce qu'il comptait faire.

Shippagan, le 3 août 1928

Chère Janine,

D'abord, n'aie aucune crainte, ma lettre n'annonce aucun malheur. Je vais bien, les affaires aussi, l'auto ne me donne pas trop de problèmes (je n'ai eu que quatre crevaisons depuis le début de mon voyage). Elle tiendra le coup pour un autre été. Si je prends la plume, c'est pour tout autre chose. Comme tu l'avais sans doute remarqué, je t'envoie cette lettre d'un petit village du Nouveau-Brunswick. C'est suite à l'insistance d'un client si je me retrouve ici. Mon intention initiale était d'obtenir quelques contrats et d'évaluer les possibilités d'y faire des affaires. Comme on me l'avait bien expliqué, presque tous les villages côtiers sont habités par des Canadiens français. Situés loin de Bathurst, la ville la plus importante de la région, ces villages sont souvent privés de plusieurs services, entre autres de ceux d'un bon photographe. Pour te dire, en quelques jours seulement j'y ai conclu des ententes pour trois mariages et un baptême. Je n'ai visité qu'un tiers de la péninsule. Les possibilités sont donc grandes.

Mais, outre les questions d'affaires, et c'est bien là la vraie raison de ma lettre, il faut que je te parle de ce pays.

Comment te dépeindre ce qui m'entoure? « Le décrire serait l'abîmer. » Depuis six jours, à tous les instants, j'aimerais t'avoir à mes côtés afin que tu puisses contempler ce spectacle. Cent fois j'ai vu les côtes gaspésiennes et toutes les beautés de leurs falaises, mais quelque chose ici me touche et me bouleverse. Est-ce cette lumière grise qui traverse l'épais brouillard matinal? Est-ce l'air salin de la mer qui enivre et chavire? Est-ce ces gens que je rencontre et qui ne cessent de m'impressionner? Je ne saurais trop l'expliquer. Mais j'aime ce pays et les gens qui l'habitent. Ces hommes aux reins solides mais au cœur tendre et généreux, qui vivent de la mer, de leur terre ou de la coupe de bois, travaillent comme des acharnés. Mais dès que vous demandez une indication, un renseignement, sur-le-champ, sans la moindre hésitation ou méfiance, ils arrêtent tout et prennent le temps d'aider. Et ces femmes au sourire avenant, qui s'occupent de grosses familles, pour un rien m'invitent à leur table comme si j'étais un lointain cousin parti depuis trop longtemps. Je te le dis, Janine, et cela risque de te surprendre, ce pays me séduit de jour en jour. Ces habitants me préviennent que si je voyais les hivers, je changerais d'idée. Cela est possible, mais j'en doute. Si seulement j'arrivais par la photo à saisir une partie de la beauté de ces paysages, comme je le fais avec les visages, tu pourrais partager mon bonheur. Je t'envoie quand même quelques clichés. Ils réussiront peut-être à te convaincre de mes dires.

Bon, eh bien, avant de t'importuner, j'arrête ici. Je devrais être de retour à la maison pour la première semaine de septembre.

S'il te plaît, embrasse Camille pour moi.

Louis-Joseph

Louis-Joseph retourna au Nouveau-Brunswick. Deux ans à peine après avoir écrit à sa femme, au printemps de 1930, il quitta Montréal avec sa famille. À force de persuasion, il avait fini par convaincre tout le monde. C'est la mère de Janine qui exprima le plus d'opposition au projet de son gendre, qu'elle qualifiait de scandaleux. Pourquoi devrait-elle être privée de voir sa fille et sa petite-fille? Monsieur Fillion, malgré toute sa tristesse de voir partir au loin sa petite-fille, était plus philosophe.

— Vous connaissez le dicton. Qui prend mari prend pays!

— Justement, c'est ici son pays, qu'il y reste. Partir vivre dans le bois... quelle idée.

— Voyons, vous ne pouvez pas vous plaindre de Louis-Joseph. Il ne nous a jamais causé de peine ou de tort. Votre fille a toujours été heureuse, jamais elle ne s'est plainte de son mariage. Elle ne manque de rien. Si son métier l'emmène ailleurs, que voulez-vous qu'on y fasse ? C'est la vie, la leur, pas la nôtre, il faut respecter cela.

Janine, malgré sa préférence pour la grande ville et les plaisirs qui s'y rattachaient, n'émit qu'une seule condition au déménagement. Le piano droit devait suivre. Abandonner sa famille, la ville, était quelque chose dont elle finirait par s'accommoder. Mais l'absence de théâtre et de concerts serait pénible. Le piano était un cadeau de mariage de son père. Elle était persuadée que l'instrument faciliterait, pour toute la famille, le passage dans cette nouvelle vie. Louis-Joseph, qui trouvait la demande déraisonnable, avait fini par céder. Le Steinway noir fit le voyage en train avec eux.

Probablement parce que Louis-Joseph ne parlait que le français, l'accueil de la communauté d'affaires de Bathurst, majoritairement anglophone, fut des plus tièdes. Il comprit aussitôt qu'il ne bénéficierait d'aucun support de cette clique. Il préféra s'installer à Robertville, un village situé à une quinzaine de minutes de la ville. L'été précédent, avec ses économies, il avait acheté la maison d'un notaire décédé subitement à l'âge de 52 ans. L'homme, un travailleur infatigable et célibataire endurci, mourut seul, sans femme ni enfant. Dévot, le défunt avait légué tous ses biens au curé du village. Le père Thibodeau, heureux de l'héritage, était quand même embarrassé de cette grosse maison dont personne ne voulait. Une propriété de cette taille sans bâtiment ni terre cultivable, située en face de l'église, ne valait rien pour la majorité de ses paroissiens. Le curé l'avait vendue à Louis-Joseph bien en deçà de sa réelle valeur. Par bonheur, les photographies de la nouvelle demeure qu'avait ramenées Louis-Joseph avaient plu à Janine et à Camille, qui venait d'avoir huit ans. En face de l'église, près de la petite école et du magasin général, Janine trouva son nouveau foyer bien commode. En plus, pour la première fois, Camille avait une grande chambre à coucher. Une partie du premier étage fut transformée en un studio et en chambre noire. En peu de temps, cette nouvelle vie que Louis-Joseph leur avait imposée fut beaucoup plus agréable qu'ils ne l'avaient d'abord imaginé. À l'école, Camille s'était aussitôt liée d'amitié avec une petite fille qui, comme elle, pouvait jouer du piano. Janine, même si elle s'entendait bien avec la servante du curé, avec qui elle parta-geait son goût pour les livres, mit plus de temps à trouver le sens de tous ces bouleversements. À la longue, voir le bonheur de son mari et de sa fille la convaincrait qu'ils devaient rester. Tout se passerait ici, désormais. Avec le temps, elle finirait par s'y faire.

Les affaires toutefois ne s'étaient pas avérées aussi bonnes que Louis-Joseph l'avait d'abord anticipé. Les ravages du *crash* de 1929 se faisait encore ressentir. Toute l'économie fonctionnait au ralenti. En général, la population dépensait moins et peu. Et dans ce contexte de prudence, la photographie était loin d'être un besoin essentiel. Mais Louis-Joseph n'avait aucun regret. Il ne voulait plus retourner en ville et préférait de loin le calme de la campagne et des petits villages.

Si l'été le travail n'était pas abondant, du moins cela le tenait occupé. Mais l'hiver, même si Louis-Joseph tenta de le dissimuler à son épouse, tout semblait s'arrêter. Comme l'eau d'une rivière prisonnière des glaces, les affaires se faisaient au compte-gouttes. Les mois de janvier, février, mars et avril n'en finissaient plus. À la blague, Louis-Joseph répétait à Janine que, de toute façon, l'hiver était un bon moment pour prendre des vacances forcées. Il profitait de ces longs mois pour s'occuper de sa famille et se reposer. Il annonçait également ses services dans les journaux locaux et laissait des cartes d'affaires bien en vue dans quelques magasins généraux. Des clients lui écrivaient pour réserver ses services. Ils lui fournissaient une date et une adresse. Lorsque la température le permettait, il respectait ses engagements, trop peu nombreux pour être refusés. Mais lorsqu'une tempête de neige, alimentée par les vents de la mer, s'abattait sur eux, il n'y avait pas de chances à prendre. Comme le faisaient tous les habitants de tous les villages côtiers, il attendait que la rage de l'hiver s'estompe. Une fois l'hiver terminé, la vie reprenait son cours.

À l'automne de 1934, à son retour de sa tournée gaspésienne, Janine avait annoncé à Louis-Joseph le décès de son père. Frappé au ventre par une vache malade, une hémorragie interne l'avait emporté deux jours plus tard. La lettre, écrite par l'une de ses plus vieilles sœurs, avait été adressée à Janine. Elle l'avait reçue une semaine après l'enterrement. À son tour, Louis-Joseph avait écrit à sa mère une longue lettre pour lui demander pardon. Dix-huit mois plus tard, sa mère mourut à l'hôpital de Montréal. Ce furent les dernières nouvelles qu'il reçut de sa famille. Après cette date, le lien fut définitivement rompu.

Robertville, 1943

Le père Thibodeau marchait d'un pas pressé et convaincu dans l'allée centrale de son église. D'une année à l'autre, les mêmes événements se répétaient. Tous promettaient de l'aider mais, à la dernière minute, il se retrouvait seul pour tout faire. Heureusement, quelques fidèles, toujours les mêmes, s'improvisaient volontaires pour donner un coup de main au vieux curé qui s'impatientait. La vente des bancs était une activité importante pour l'entretien de l'église. Malheureusement, depuis la crise de 1929, les recettes étaient de plus en plus maigres. À l'annonce de la guerre, les coffres se vidèrent davantage. Mais malgré la pauvreté de la population, le curé maintenait que la vente des bancs devait se faire.

— Je le sais ! Je le sais très bien que nos paroissiens sont pauvres, mais ils donneront ce qu'ils peuvent. Je n'ai jamais levé le nez sur un don du ciel, aussi petit soit-il, répétait-il à Edna, sa servante.

Comme à l'habitude, la vente aurait lieu à 11 h 30, une demi-heure après la fin de la grand-messe. Mais déjà, des familles entières se massaient dans la cour. Des curieux, pressés de voir qui achèterait les meilleurs bancs, ouvraient l'une des grandes portes pour demander s'ils pouvaient entrer.

On entendait la voix tonitruante du père Thibodeau retentir dans l'enceinte vide.

— Onze heures trente! J'ai dit onze heures trente! Voulez-vous bien tenir cette porte fermée, à la fin?

Se tournant vers Edna, à bout de patience, il levait les bras.

— Comment voulez-vous que j'organise quelque chose avec tout ce monde dans mes jambes? Et l'encanteur, où est-il, celui-là? Chaque année, il me fait le même coup.

— Père Thibodeau, voyons donc, calmez-vous un peu! Il n'est que 11 h 10. Les gens attendront. Ne vous emportez pas comme ça, vous allez vous rendre malade.

— Oui, vous avez raison, Edna! Mon impatience m'emportera au ciel.

Si les gens s'agitaient, ce n'était pas tant la vente qui les excitait, mais bien le beau temps qui était enfin arrivé. De plus, mis à part les fêtes de Noël et les mariages, qui arrivaient un peu plus tard dans l'été, les occasions de rencontres populaires se faisaient rares.

À l'été de 1943, Camille DuRepos avait 21 ans. Plus svelte et, depuis quelques années, plus grande que sa mère, la finesse de son visage et la douceur de son regard ne laissaient personne indifférent. Elle et sa mère s'étaient arrêtées à l'ombre des trois bouleaux, à la sortie de la grand-messe. L'agitation de la foule plaisait à Janine, cela lui rappelait sa vie à Montréal. Si à quelques endroits, à l'orée des boisés, on distinguait encore quelques bancs de neige sale qui agonisaient au soleil, on aurait facilement cru que le printemps avait soudainement cédé sa place à l'été. Dès que le vent faible qui balayait les paroissiens s'essoufflait quelque peu, aussitôt une chaleur agréable se faisait sentir. Les familles des villages avoisinants, qui ne s'étaient pas dispersées après la messe, semblaient heureuses de sortir d'un hiver qui avait été particulièrement long. Même si les temps étaient difficiles, la misère semblait moins pénible au soleil.

Dès leur arrivée à Robertville, Janine informa la servante du curé Thibodeau qu'elle pourrait, à l'occasion, si besoin il y avait, jouer de l'orgue pendant les célébrations religieuses. Elle habitait en face de l'église, jouait très bien du piano, pouvait lire les partitions et pourrait facilement remplacer quelqu'un à pied levé. Quand la servante informa le curé de l'offre du couple qui arrivait de la grande ville, ce dernier fut surpris mais de façon agréable. Depuis quelques années, le vieux monsieur Godin, qui jouait de l'orgue depuis vingt-sept ans, faussait de plus en plus souvent. D'année en année, son arthrite l'embarrassait. Il envoya un petit mot à Janine pour la remercier de sa bonté chrétienne et précisa qu'il accepterait son offre dès que l'occasion se présenterait.

L'orgue n'était pas un instrument pour lequel Janine nourrissait une affection particulière. Le contraire aurait été plus juste. Elle qualifiait le son de brut, sans finesse, et la musique qui en émanait d'une tristesse intarissable. Non, ça n'était pas par amour de la musique qu'elle s'était offerte de cette façon. Cela n'avait en fait rien à voir avec la musique. Comme elle l'avait expliqué à son mari, dans un village, lorsqu'on est étranger, il faut rapidement prendre une place et la bonne. Sinon, toutes sortes de rumeurs et de ragots se mettent à courir à votre sujet.

— J'insiste, Louis-Joseph! Une rumeur c'est comme une tare, on n'arrive plus à s'en défaire. Imagine, nous arrivons de Montréal, tu es photographe, personne ici n'a jamais vu une chose pareille. Intégrons-nous le plus vite possible et après, on ne nous remarquera même plus.

Janine ne s'était pas trompée. En quelques années, grandement aidés par leur constante présence à la messe du dimanche et du fait que Janine remplaçait de plus en plus souvent le vieux monsieur Godin à l'orgue, les DuRepos furent respectés et acceptés de tous. Janine, pour aider aux finances, donnait même des cours de piano à quelques enfants du village chez elle. Louis-Joseph, loin d'être dévot, s'était quand même plié à la demande de son épouse. D'une part, ses arguments l'avaient convaincu et de plus, il savait que l'image de la bonne famille pratiquante ne nuisait jamais aux affaires.

Ce dimanche de la vente des bancs, Janine et sa fille étaient donc poliment saluées par les paroissiens qui les connaissaient de près ou de loin. À cause du beau temps, plusieurs des jeunes filles qui sortaient de l'église portaient de beaux vêtements aux couleurs de l'été. Alors que les femmes plus âgées défaisaient les mouchoirs avec lesquels elles s'étaient recouvert la tête pour la messe, les plus jeunes, coquettes, arboraient de grands chapeaux. Partout, il n'y avait que robes et chemises blanches. Même les jeunes hommes s'étaient endimanchés.

Excitées par le beau temps, les jeunes femmes regroupées échangeaient les dernières nouvelles et petits secrets qu'elles se chuchotaient en riant. Mais Camille, qui était du même âge, restait près de sa mère. Depuis son retour du couvent Notre-Dame de Montréal, elle avait gagné une maturité qui plaisait à ses parents. Elle y était restée trois ans. Trois longues années, aimait-elle préciser. Lorsqu'elle était revenue, ses quelques amies d'école étaient soit parties, soit mariées depuis long-temps. Elle ne connaissait plus personne avec qui elle aurait pu s'associer. Au couvent, la plupart de celles avec qui elle s'était liée d'amitié étaient devenues religieuses ou enseignantes dans de petites écoles canadiennes-françaises dispersées un peu partout dans d'autres provinces. Jamais l'idée de la vocation n'avait effleuré son esprit. Un jour, Janine, en visite à Montréal, en profita pour rencontrer la responsable du couvent afin de connaître l'avenir que l'on réservait à sa fille. La Révérende Mère l'invita à la suivre dans son bureau. Cette femme, qui devait facilement frôler la soixantaine, n'était pas du genre qui enveloppait ses opinions d'un tissu de dentelle. Encore plus corpulente, dans son habit noir, que Janine, elle regardait tout le monde de haut avec un air de condescendance. Sa réponse fut concise et catégorique :

— Chère madame DuRepos, votre Camille est une bien bonne fille, mais elle ne possède pas les qualités requises pour devenir religieuse. Elle est faite pour l'amour. D'abord, elle a un tempérament beaucoup trop libéral, elle veut des enfants et n'a aucun intérêt pour l'enseignement. Mariez-la au plus vite, c'est sa seule vocation.

Janine ne fut ni surprise ni choquée de la réponse de la Révérende Mère. Elle connaissait trop Camille, le contraire l'aurait déçue.

Même si la vie au couvent n'avait pas été des plus passionnante pour elle, ces trois années à Montréal lui avaient quand même permis de mieux connaître la famille de sa mère et de voir autre chose que son petit village du Nouveau-Brunswick. Mais depuis son retour, elle trouvait le temps long. À la maison, pour briser la monotonie, et pour se rendre utile, elle aidait son père au studio. Elle s'occupait des clients, les préparait pour leur session de photos. Son père appréciait beaucoup son support, surtout lorsqu'il devait travailler avec des familles qui avaient de jeunes enfants. En vieillissant, il perdait patience avec ces petits qui ne cessaient de bouger ou, pire, qui avaient peur de ses appareils. Avec son calme et ses paroles réconfortantes, Camille faisait faire aux enfants tout ce que son père désirait. À l'occasion, la clientèle, satisfaite, en faisait la remarque à son père.

— Elle est bien, votre fille, monsieur DuRepos. Elle sait mettre les gens à l'aise. Et avec les enfants, ça lui vient tout naturel. Elle fera une excellente mère de famille.

— Merci, et surtout gardez la pose, répondait sèchement Louis-Joseph, généralement occupé à trouver le bon éclairage pour ses photos.

— Profitez-en, une aussi belle femme, elle sera mariée en un rien de temps.

— Oui, oui... sans doute. Bon, on ne bouge plus s'il vous plaît.

C'était de cette façon que Louis-Joseph faisait taire la clientèle trop curieuse de sa vie privée.

Ce dimanche était donc une journée différente des autres. Enfin quelque chose de nouveau bousculerait la routine, se disait Camille. Les gens arrivaient de tous les côtés et la foule grossissait à vue d'œil. Pendant que la plupart des hommes s'occupaient des chevaux, les femmes, par petites assemblées, discutaient gaiement entre elles. Les enfants s'improvisaient des jeux et couraient autour de l'église en criant. On aurait dit une immense cour d'école. Et celui qu'au village on surnommait le grand Marcel, ce simple d'esprit, cet enfant prisonnier d'un corps de quarante ans, aurait tout donné pour sauter dans cette course. Mais sa mère, qui le retenait par la main, lui faisait comprendre que ces jeux n'étaient plus pour lui, qu'il devait être raisonnable et se comporter comme un homme maintenant.

Vers onze heures et vingt, il devait y avoir un peu plus de deux cents personnes qui attendaient dans la cour et sur le perron de l'église. De loin en loin, on entendait les rares propriétaires d'automobile s'approcher à grande vitesse sur les routes de terre battue. S'ils avaient de bonnes raisons pour manquer la messe, ils ne voulaient toutefois pas rater la vente des bancs. Une année mal assis à l'église aurait été trop chèrement payer pour un tel retard. Plus l'attente se prolongeait, plus l'animation de la foule était palpable. On parlait fort, on gesticulait, certains s'esclaffaient sans retenue. On put même entendre s'échapper, d'un petit groupe d'hommes se tenant à l'écart, quelques jurons. On y parlait politique, une erreur en ces temps de guerre. Très vite, les discours s'enflammaient et les idées inévitablement s'entrechoquaient. On blâmait les rouges, on critiquait les bleus, tous gardaient jalousement leur position. Il n'y aurait jamais consensus. Heureusement, l'odeur douceâtre et sucrée de tabac brûlé qui émanait des pipes allumées par quelques vieillards sembla calmer les esprits qui s'étaient échauffés. Tout cela donnait à Robertville l'ambiance d'une grande fête. Et c'est au travers de tous ces gens, de tous ces visages, de cette foule bigarrée, au milieu des cris d'enfants, des conversations des hommes, des rires des femmes, des hennissements de chevaux nerveux, dans cette délicate lumière des premiers jours d'été, que Camille le vit pour la première fois.

Il portait un uniforme militaire et un béret qui cachait une partie de son front. Un autre militaire, un peu plus grand, se tenait debout près de lui. Même si les deux hommes étaient marqués d'une étrange ressemblance, c'est le premier qui retint son attention. Elle le fixait sans politesse, ne pouvant le quitter des yeux. Dès les premiers instants où elle l'aperçut, elle fut attirée par la beauté du jeune soldat qui souriait sans cesse. À distance, elle observait les traits de son visage, la largeur de ses épaules et cette curieuse façon qu'il avait de se dandiner. En un instant, cet homme qu'elle ne connaissait pas, qu'elle n'avait jamais vu, devint le centre de son univers. Mais pourquoi son regard ne croisait-il pas le sien? Était-elle laide? Dans cette robe bleu ciel toute en dentelle, que sa mère lui avait commandée d'un grand magasin de Montréal, n'était-elle pas attirante? Camille se mit sur-le-champ à douter de son charme. Elle ne savait plus. Pourtant, on lui avait souvent dit qu'elle avait de beaux yeux, un visage fin et doux. Quand elle était encore toute petite, une sœur qui lui enseignait lui en avait fait la remarque:

— Mademoiselle DuRepos, Dieu a été généreux avec vous. Il vous a donné l'intelligence et la beauté, c'est rare. Mais cela ne vous donne pas le droit de parler dans les rangs. À votre place, s'il vous plaît!

Mais c'étaient des compliments de femme. Jamais encore un homme ne lui avait adressé de telles paroles. Et là, soudainement, dans cette cour d'église pleine de monde, inondée de soleil et d'ombre, elle se trouvait laide. Tout en écoutant sa mère et en saluant les gens qu'on lui présentait, elle ne pouvait s'empêcher de penser et de revenir toucher le jeune militaire du regard. Puis tout à coup, son visage, comme à l'annonce d'une mauvaise nouvelle, s'était assombri. Les deux soldats et les filles avec qui ils discutaient avaient disparu. Occupée pendant quelques secondes à parler avec madame Comeau, qui ne disait que du bien de la dentelle dont était ornée sa robe,

Camille avait perdu de vue le soldat inconnu. Qu'y avait-il dans le regard de cet homme? Camille l'ignorait. Mais elle avait été touchée. Elle regardait partout, scrutant un à un tous ces visages qui défilaient autour d'elle. Elle tenait à tout prix à retrouver cet homme qui, à peine aperçu, s'était subitement fondu dans la foule. Pourquoi l'avait-elle quitté des yeux aussi longtemps? «Quelle idiote je suis», se disait-elle. Le pensant perdu, parti pour toujours, elle soupira et dut faire un effort pour repousser une envie de pleurer. Elle se trouva bête. «Pourquoi pleurer? Je ne le connais même pas cet homme, c'est peut-être un frustre.» Mais à la pensée que l'une des filles avec qui il s'entretenait était peut-être sa fiancée, Camille sentit une tristesse l'envahir.

Enfin, l'encanteur était arrivé. Le vieux monsieur, maigrelet, au dos courbé et aux mains noueuses, était entré dans l'église avec sa petite mallette de cuir. Dans son habit noir, il avait monté une à une les marches en sautillant. Son allure en fit sourire plus d'un, qui durent détourner le visage. Quelques minutes s'écoulèrent; puis le père Thibodeau ouvrit grandes les portes de l'église en criant à la cantonade que les enchères débuteraient dans cinq minutes. La foule qui, le temps de l'annonce resta silencieuse, fut aussitôt reprise d'une agitation collective. Des hommes se mirent à franchir les portes. Les autres, les femmes, les enfants et les jeunes gens sans argent, resteraient à l'extérieur. Et c'est dans l'effritement de la foule que Camille le retraça. En l'apercevant, comme par enchantement, cette ombre de tristesse qui s'était posée sur son visage s'était envolée. L'effet était tel que sa mère, qui constata cette soudaine transformation, ne put faire autrement que de chercher la source d'un tel bonheur.

Les deux soldats étaient debout et écoutaient Louis-Joseph, qui avait toute leur attention. Il sortit de la poche de son veston deux cartes d'affaires qu'il leur remit. Lorsque Camille vit son père serrer la main du soldat, secrètement elle l'envia. Comme elle aurait aimé sentir sa main disparaître dans la sienne! Plus elle le regardait, plus elle le trouvait beau. Mais comment pourrait-elle attirer son attention?

Après ces salutations d'usage, Louis-Joseph s'éloigna des deux hommes et vint rejoindre Janine et sa fille. C'est à ce moment que le soldat qui semblait chercher quelqu'un dans la foule croisa le regard de Camille, qui ne le quittait plus des yeux. Surprise et embarrassée de son indiscrétion, elle baissa la tête, fuyant son regard. Mais l'attraction était trop intense, elle ne put tenir que quelques secondes. Relevant aussitôt les yeux, elle le revit. Il n'avait pas bronché, c'était maintenant lui qui la fixait avec impertinence. Il lui adressa même un petit signe de tête. Par pudeur, elle le laissa sans réponse. Mais au moment de se déplacer, entraîné par les autres, il put voir sur les lèvres de Camille un sourire discret mais complice. Les deux soldats retournèrent auprès de leurs amis et de ces quelques admiratrices que Camille, sans même les connaître, détestait déjà. Ils montèrent à bord d'une vieille Ford et quittèrent lentement la cour de l'église. Camille ne pouvait s'empêcher de sourire. Elle sentait même sur ses joues un léger picotement, elle rougissait de joie. Il l'avait remarquée, il l'avait même saluée en souriant.

Sans qu'elle ne le réalise, à deux reprises, le soldat, assis sur la banquette arrière de l'auto, s'était retourné pour revoir une dernière fois le visage de cette femme qui l'avait si longuement observé. Mais déjà, il s'était trop éloigné. Il ne distinguait plus dans la foule qu'un vague contour enveloppé d'une magnifique robe de couleur bleu ciel.

Avec le début de la guerre, Louis-Joseph avait hérité d'une nouvelle clientèle. Lorsque les villages des alentours se mirent à voir leurs fils partir pour l'Europe et parfois ne plus revenir, tous voulurent se procurer un souvenir. Les familles, même les plus démunies, tenaient à cette photo de leur fils en uniforme. Constatant l'intérêt grandissant pour cette demande, dès l'hiver 1940 Louis-Joseph fit publier une annonce dans les journaux de la région. On pouvait y lire que la meilleure façon de supporter l'effort de guerre et d'encourager un fils parti au loin était de garder une photo du jeune soldat à la maison. Son initiative avait porté fruit. Les volontaires, tout comme ceux qui étaient mobilisés, voulaient des photos d'eux. Ces souvenirs, on les remettrait aux parents, aux amis, mais surtout aux fiancées qui restaient au pays. En échange d'un modeste dépôt, Louis-Joseph offrait même de garder le négatif jusqu'à la fin de la guerre au cas où l'original aurait été perdu ou abîmé. En apercevant les deux soldats, Louis-Joseph les aborda sans hésitation pour leur offrir ses services.

Lorsqu'il rejoignit son épouse et sa fille, Janine, curieuse, et ne pouvant faire autrement que de constater l'intérêt qu'avait manifesté Camille pour l'un des deux soldats, pressa son mari de questions.

— Qui étaient donc ces deux beaux jeunes hommes que vous venez de quitter ?

Louis-Joseph, pour qui l'échange n'était rien d'autre qu'une banale transaction d'affaires, répondit distraitement. Camille, qui feignait l'indifférence, écouta chacune des paroles de son père comme si sa vie en dépendait. Elle apprit entre autres que les frères Cormier, Paul et Gabriel, âgés de vingt-quatre et vingt-trois ans, habitaient à Sainte-Rosette, un petit village situé à une dizaine de kilomètres de Robertville. Ils s'étaient portés volontaires ensemble à l'automne de 1942. En permission pour deux semaines, ils étaient rentrés à la maison prendre un peu de repos. Les Cormier avaient dix enfants et arrivaient à peine à nourrir toutes ces bouches. L'armée était apparue aux plus vieux de la famille comme une occasion de quitter les chantiers et de voir du pays. Louis-Joseph, après avoir patiemment écouté leur histoire, leur avait demandé à brûle-pourpoint s'ils avaient pensé garder un souvenir de leur passage dans l'armée canadienne. Les deux frères, surpris par la question, répondirent non. Louis-Joseph, c'était sa façon de faire, sortit aussitôt ses cartes d'affaires. Se tournant vers son frère, Paul dit :

— Une belle photo, ça ferait plaisir à maman.

Le marché était conclu. Lundi matin, ils n'avaient qu'à se présenter au studio en uniforme. Louis-Joseph leur pointa du doigt sa maison située de l'autre côté du chemin, en face de l'église. Cela était inutile. Tout le monde dans les environs connaissait la maison du photographe. Il leur serra la main en ajoutant qu'il leur ferait un petit rabais parce que deux frères dans l'armée, c'était plutôt rare.

En apprenant que le soldat serait chez elle le lendemain matin, Camille sentit son cœur chavirer. Tout allait tellement vite, se disait-elle. Pendant des mois, elle avait eu l'impression d'habiter dans le désert, et là, soudainement, en une trentaine de minutes, tout se bousculait. Camille oubliait qu'à son retour du couvent, au début de l'hiver, elle avait eu un prétendant. Roger Comeau, le fils du cordonnier, lui avait fait de belles manières. Il était même venu veiller un soir pendant les Fêtes. C'était un beau garçon avec de belles manières, probablement un bon parti. Mais Camille ne ressentait rien pour lui. Questionnée par sa mère sur ses intentions pour le jeune galant, elle avait répondu:

— Oui, il est beau et gentil mais, maman, si vous saviez! Il est ennuyant comme la pluie.

Janine n'avait pu s'empêcher de rire aux éclats. Il ne fut plus jamais fait mention du jeune homme à la maison.

Mais cet avant-midi, ce soldat inconnu qui s'appelait Paul ou Gabriel l'avait remarquée et lui avait adressé le plus beau des sourires. Et cette fois, elle en avait la certitude, ses sentiments étaient partagés. Tout en se laissant caresser par le velours de ses pensées, Camille fut soudainement piquée de panique.

— Que porterai-je demain matin? se demanda-t-elle en retenant son souffle.

Elle avait mis sa plus belle robe pour la vente des bancs, comment s'habiller maintenant? Même si la moitié de la garderobe de Camille aurait fait l'envie de presque toutes les filles du village, elle était convaincue qu'elle n'avait plus rien à se mettre sur le dos. Mentalement, elle essayait et réessayait tout ce qui pourrait la mettre à son avantage. Elle devint toute préoccupée par cette question. Sa mère, qui l'observait, retint son sourire.

Il ne lui restait plus maintenant qu'à découvrir lequel des deux soldats était responsable de tant d'émois.

Louis-Joseph embrassa Janine sur la joue avant de rejoindre les hommes qui continuaient de remplir l'église. Au même moment, une volée d'oiseaux traversa le ciel pur et sans nuages. Camille mit une main sur son chapeau et leva la tête pour suivre leur course. Il aurait été difficile à ce moment de voir un visage irradier plus grand bonheur.

Robertville, 1943

*T*el qu'il était entendu, Paul et Gabriel Cormier se présentèrent chez les DuRepos le lendemain matin, à 10 heures précises. Dehors, une pluie fine, qui mouillait à peine ce qu'elle touchait, tombait doucement. C'était un lundi sous le signe de la grisaille et du silence. Tout dans le village respirait la tranquillité. À l'école, on garderait les enfants à l'intérieur pendant les récréations. Même les oiseaux s'étaient tus et se cachaient discrètement du temps laid.

Les deux frères Cormier, engoncés dans leur uniforme le plus propre, s'étaient minutieusement préparés pour cette occasion. Bien rasés, Paul et Gabriel avaient même fait repasser leur chemise par leur mère avant de partir. Et Gabriel, pendant une bonne vingtaine de minutes, avec un acharnement peu commun, avait astiqué le cuir noir de ses bottes. Pour éviter que la pluie ne tache leur uniforme, ils étaient sortis de l'auto à la presse et avaient couru se mettre à l'abri. Un ami, qui avait bien voulu les conduire, les attendrait dehors. Lorsque le tintement aigu des trois petites clochettes accrochées au-dessus de la porte se répandit dans la maison, Camille, assise en face de sa mère dans la cuisine, eut un léger soubresaut. En un bond, elle était debout et s'empressait d'aller répondre. Jamais Janine n'avait vu sa fille manifester autant d'empressement pour recevoir la clientèle de son père. Elle referma lentement le journal et ne put s'empêcher d'avoir un pincement au cœur. Ma fille est en amour, se dit-elle à voix basse. Et pour la centième fois depuis son lever, Camille s'arrêta et prit quelques secondes pour s'examiner devant le grand miroir du couloir, habituellement réservé aux clients. C'était sa dernière chance de remettre cette boucle de cheveux noirs sous son peigne d'argent, qui n'arrivait pas à la retenir. D'un geste machinal, elle glissa rapidement ses mains ouvertes le long de son corps pour faire disparaître de sa robe blanche des plis imaginaires. Elle expira profondément. Voilà! Elle se sentait prête, maintenant.

Lorsqu'elle ouvrit la porte du studio, les frères Cormier restèrent debout l'un près de l'autre. Comme deux enfants éblouis par la nouveauté, ils examinaient en silence les dizaines de photos de différentes dimensions, encadrées et accrochées aux murs de la boutique.

Camille parla la première.

— Bonjour! Vous êtes venus pour une photo?

Les deux hommes, absorbés dans leur contemplation des clichés, n'avaient pas remarqué son entrée dans la pièce. Au son de sa voix, ils se retournèrent brusquement. Aussitôt, Gabriel reconnut la femme qui lui avait souri dans la cour de l'église. Surpris, lui et son frère restèrent muets quelques secondes. Puis, d'un geste brusque, Gabriel enleva son béret. Paul, rappelé aux bonnes manières par son frère, en fit autant.

— Oui! Nous avons un rendez-vous avec monsieur DuRepos, répondit finalement Gabriel, la voix pleine d'assurance.

Il sortit de la poche de son veston la carte d'affaires que son père leur avait remise et la lui présenta. Camille se glissa derrière le comptoir vitré et ouvrit un grand livre à la couverture cartonnée. Du bout du doigt, elle toucha les feuilles lignées et dit à voix haute:

— Paul et Gabriel Cormier, dix heures. C'est bien! Vous pouvez vous asseoir.

Elle referma le livre dans lequel son père inscrivait au crayon de plomb les noms de ses clients et l'heure des rendez-vous.

— Veuillez m'excuser, je vais chercher mon père, je reviens tout de suite.

Elle allait quitter la pièce lorsque, se retournant, elle demanda :

— Ah! Mais lequel de vous deux veut passer en premier?

— Moi, s'écria Paul, qui n'avait pas encore parlé.

Un sourire se posa sur les lèvres de Camille.

— Et vous êtes…?

— Paul! Moi, c'est Paul. Lui, c'est Gabriel, dit-il en pointant son frère resté assis.

— Bon, je reviens.

Enfin, elle connaissait son nom. Gabriel, elle le répéta en silence, Gabriel. D'un coup d'œil rapide et discret, elle avait remarqué sa chevelure ondulée. Malgré la coupe ingrate qu'imposait l'armée, il était facile d'imaginer qu'un peu plus longs, ses cheveux seraient épais et bouclés. Toute la nuit, elle s'était souciée de ce qu'elle porterait pour rencontrer ce soldat. Maintenant qu'elle était là, debout devant lui, cela n'avait plus aucune importance. À deux reprises, ce Gabriel lui avait adressé le plus beau des sourire et, dans quelques minutes, elle se retrouverait seule avec lui pendant que son père s'occuperait de son frère.

À peine avait-elle quitté la pièce que Gabriel, ne pouvant se retenir, chuchota à son frère :

— C'est elle!

— Elle, qui!

— ELLE! C'est la fille dont je t'ai parlé hier après la vente des bancs. La fille dans la cour de l'église qui n'arrêtait pas de me sourire.

— Ah! ELLE! Camille DuRepos.

— Camille DuRepos, la fille du photographe?

— Oui, oui, la petite Camille qui jouait de l'orgue le dimanche à la messe avec sa mère.

— Ça fait des années qu'on ne la voyait plus au village.

— Pendant que nous étions dans le bois, mon Gabriel, elle, elle étudiait.

Étonné, Gabriel regarda son frère qui s'allumait une cigarette.

— Comment, tu la connais?

— Bien sûr! Roger, le fils du cordonnier, l'a déjà fréquentée.

Paul, amusé de voir l'excitation de son frère, se mit à le taquiner.

— Mais si j'étais à ta place, je n'y penserais même pas. Une belle femme comme ça, ça ne sort pas avec un garçon comme toi.

Gabriel, blessé par la remarque, lui répondit à voix basse.

— Et pourquoi pas? Qu'est-ce qu'une fille comme ça a de plus qu'une autre? C'est une femme de la place, ce n'est pas la sœur du pape, quand même.

— Tu veux que je te le dise, ce qu'elle a? Ben je vais te le dire: «de la classe».

En terminant sa phrase, Paul souffla un nuage de fumée dans le visage de son frère qui s'impatientait.

— Tais-toi donc. Qu'est-ce que tu connais des femmes qui ont de la classe? Tu ne peux pas comprendre. Tu sors avec une fille deux semaines et tu recommences avec une autre. Tu n'as aucune espèce d'idée c'est quoi, la classe. Tu n'as jamais été sérieux de ta vie.

— Et toi, tu fais sérieux, peut-être? Avec ta sixième année complétée, tu penses l'impressionner, la belle Camille?

Paul savait trouver les mots qui faisaient sortir Gabriel de ses gonds.

— Je n'ai peut-être qu'une sixième année, mais moi au moins je sais lire et je peux écrire une lettre au complet sans avoir besoin de courir chez le curé Thibodeau pour la faire corriger.

— Justement, mon Gabriel, ces filles-là, c'est trop sérieux. Il n'y a pas de moyen de s'amuser avec elles.

— C'est tout ce à quoi tu penses, t'amuser.

— Je te parie un deux que tu n'as pas le courage de l'inviter à la danse samedi prochain. Vrai ou faux?

Gabriel perdait facilement patience et détestait être acculé au pied du mur.

— Non! Je ne parie rien avec toi. De toute façon, même quand je gagne, tu ne me donnes jamais mon argent. Et en parlant d'argent, tu me dois dix piastres.

— Bon! Je savais que tu n'avais pas le courage de l'inviter. Je te le dis, ces femmes-là, ce n'est pas pour des gars ordinaires comme nous autres, répondit Paul en ricanant.

Gabriel, en colère, allait répondre à son frère en oubliant de baisser le ton lorsque Camille réapparut, accompagnée de son père.

Paul et Gabriel, comme toute une génération d'hommes après la crise de 1929, se retrouvaient coincés dans la même situation. Avec peu d'éducation, sans vrai métier et souvent sans travail, leur avenir s'annonçait difficile et peu prometteur. Loin d'être paresseux, les frères Cormier aidaient aux travaux de la ferme familiale depuis leur enfance. Dès l'âge de 16 ans, ils s'étaient trouvé une place dans les chantiers, où ils passaient tout l'hiver. Mais une fois le printemps revenu, après avoir réglé quelques dettes et donné la plus grande partie de leurs gains à la famille, qui en avait toujours besoin, ils se retrouvaient sans le sou en quelques semaines seulement. D'une année à l'autre, tout était à recommencer. Si Paul s'accommodait tant bien que mal de cette routine, Gabriel, en vieillissant, avait de plus en plus l'impression de tourner en rond et de voir un temps précieux lui échapper. Comme son frère qui était bon vivant et bon buveur, il aimait la fête et ne donnait jamais son tour pour la bouteille. Mais Gabriel rêvait d'une petite maison qu'il construirait le long de la rivière Népisiguite. À sa mort, son grand-père, Paul-Émile Cormier, qui avait toujours eu un faible pour ce petit-fils aux cheveux bouclés, lui avait légué ce lopin de terre gagné au cours d'une partie de cartes. Ce n'était qu'un terrain boisé, tout juste assez grand pour y construire une maison et une petite grange. C'était la rivière qui lui donnait une valeur toute particulière. L'été, Gabriel s'y rendait souvent pour couper des branches et débarrasser le bois mort, qu'il ramenait chez ses parents. C'était sa seule possession, mais il y tenait comme à un trésor. Dès qu'il aurait réussi à mettre un peu d'argent de côté, il y construirait sa maison et s'y installerait avec sa femme et aurait des enfants. C'était là son seul souhait. Et c'était pour ce projet qu'au printemps 1942, rongé d'impatience, il convainquit son frère de s'enrôler dans l'armée canadienne avec lui.

L'armée était apparue à Gabriel comme une solution honnête et rapide pour changer sa vie pour le mieux. Avec une vraie carrière, il pourrait finalement s'établir. Paul, moins impressionnable, ne partageait pas l'enthousiasme que son frère vis-à-vis la vie militaire. Tard un soir, en revenant à pied d'une danse, ils s'étaient arrêtés sur le vieux pont du village. Fatigué de la marche, Gabriel avait enlevé ses chaussures et s'était assis par terre. Paul, accoudé au parapet, regardait l'eau de la rivière danser sous les rayons pâles de la lumière argentée d'un quartier de lune. Puis, après être resté un long moment sans rien dire, Gabriel demanda à son frère :

— Paul, tu ne parles pas. Tu as pensé à ma proposition ?

Paul, pensif, resta silencieux. Il cracha dans la rivière, curieux de voir où iraient s'écraser ces quelques gouttes de salive dans l'eau noire. Puis, cherchant machinalement son paquet de cigarettes, il répondit d'un ton calme et sérieux :

— Réalises-tu, Gabriel, que là-bas, au front, ce n'est pas un jeu. Il y a des gars qui ne reviendront pas. Je ne sais pas si j'ai vraiment le goût de risquer ma vie pour mon pays. L'Europe, c'est tellement loin. Les Allemands, ils sont quand même pas rendus dans la baie. S'ils veulent la faire, la guerre, les Anglais, s'ils y tiennent tant que ça, qu'ils la fassent. Moi, ce n'est pas mon problème.

— Voyons, Paul, tu l'as entendu toi-même l'autre soir, à la caserne, l'homme, le major, il l'a répété plusieurs fois. Plus il y aura de volontaires, plus vite on la gagnera, cette guerre. C'est simple, c'est une question mathématique.

— Oui ! Pour l'avoir entendu, je l'ai entendu comme toi. As-tu remarqué que ton major, il lui manquait un bras ? Ce n'est sûrement pas un défaut de naissance, ça. J'ai pas envie de mourir à 23 ans sur un champ de bataille, quelque part en France, en Italie ou je ne sais trop où. J'aimerais vivre un bout encore. C'est simple ! Tu trouves ça simple, toi ? Ce n'est pas aussi simple que ça, Gabriel. La guerre, ça fait des morts et ça, ton major, il n'en a pas parlé beaucoup.

Après un long silence, Gabriel reprit.

— Je n'ai jamais dit qu'il n'y avait pas de danger, je ne suis pas fou, je sais ce qu'est la guerre. Mais dis-moi une chose, Paul, qu'est-ce qui nous attend ici, toi et moi ? Qu'est-ce qui va changer pour nous, tu penses, dans les prochaines années? Je vais te le dire. RIEN! Non, rien du tout. Dans dix ans, nous travaillerons encore au chantier. Nous chambrerons toujours à la maison et nous n'aurons pas plus d'argent que nous en avons maintenant. Maudit chantier, l'ennui, les poux, c'est la misère; c'est ça, la vie qui nous attend. Ce n'est pas compliqué de deviner l'avenir pour des gars comme nous autres, c'est toujours la même histoire. Penses-tu vraiment qu'on va nous appeler pour un bon travail payant et pas trop salissant? Penses-tu vraiment ça? Tu peux faire ce que tu veux, c'est ta vie, mais moi mon idée est faite. Je m'enrôle. Si je ne le fais pas maintenant, après il sera trop tard. La guerre sera terminée et j'aurai manqué le bateau. L'armée, ce n'est pas parfait, c'est dangereux. Mais au moins, ça donne la chance de faire quelque chose de sa vie. Je suis fatigué de tourner en rond.

Sans rien dire, ils avaient repris leur route pour rentrer à la maison. Mais Gabriel avait gagné. Le lendemain, son frère s'était rallié à son idée. Paul avait dit en riant:

— De toute façon, si nous arrivons de l'autre côté et que la guerre est déjà terminée, au moins nous aurons de beaux habits.

Paul et Gabriel s'étaient présentés au sous-sol de la caserne de Bathurst le 29 mai 1942. À leur arrivée, une vingtaine d'hommes y étaient déjà rassemblés. Dispersés sur une cinquantaine de chaises parfaitement alignées, ils attendaient. Imitant les autres, Gabriel et son frère s'installèrent à l'arrière de la salle, laissant la première rangée vide. Dans un coin de la grande salle humide, un petit groupe d'anglophones parlaient discrètement entre eux. Les plus jeunes, l'air sérieux, fumaient nerveusement. Heureusement, l'attente fut de courte durée. Tel qu'il avait été annoncé, avec une précision militaire, à dix-neuf heures on entendit retentir le pas assuré de quelqu'un qui descendait les marches du vieil escalier menant à la salle. En un instant, les conversations timides s'évanouirent. Tous se turent et se retournèrent pour voir qui était cet homme.

Originaire de Truro, en Nouvelle-Écosse, le major Ian Wallace, un homme âgé d'une quarantaine d'années, de taille moyenne, mais solide, venait s'adresser au groupe de futures recrues. Debout, bien droit, dans un uniforme impeccable, il arborait fièrement sur sa poitrine une dizaine de médailles militaires reçues pour sa participation à la Première Guerre mondiale. La manche gauche de son manteau, remontée et cousue sur son épaule, dissimulait le moignon de son bras amputé. Jamais, pendant toute sa présentation, il ne fit la moindre allusion à ce handicap. Étant donné le respect et le silence que cet homme imposait dans cette salle, personne n'oserait soulever la question. Son discours fut bref mais précis. Exprimé dans un français approximatif, mais dit d'un ton clair et sérieux, son message retint l'attention de tous. Le major mit d'abord l'accent sur le sens de l'honneur de joindre l'armée canadienne. Il leur expliqua qu'ils recevraient un salaire de 1,26 $ par jour comme simples soldats, mais que s'ils montaient en grade, cette rémunération de base serait augmentée. De plus, assurait-il, une fois la guerre gagnée (parce qu'il ne faisait nul doute dans son esprit que le Canada et les Alliés seraient victorieux au terme de cette campagne), une foule de bénéfices et d'opportunités attendraient les soldats victorieux.

— N'ayez crainte, les soldats de l'armée canadienne ne seront jamais oubliés. Mais le temps presse. Nous avons besoin de vous. La victoire est toute proche, mais pour l'obtenir, des hommes comme vous, des hommes fiers et courageux, doivent s'enrôler. Si nous voulons écraser l'Allemagne et libérer la France et une partie de l'Europe de l'emprise hitlérienne, il faut agir tout de suite avant qu'il ne soit trop tard. Partout, des Canadiens se portent volontaires. Il ne faut pas reculer. La contribution des Provinces maritimes sera reconnue par le gouvernement canadien et Sa Majesté la reine.

Même si, à la fin de la présentation, Paul confia à son frère que le major était resté un peu vague sur les bénéfices et les avantages promis par l'armée, comme presque tous les hommes présents ce soir-là, il s'enrôla.

Plus tard, lorsqu'ils rentrèrent à la maison et qu'ils annoncèrent à leurs parents qu'ils venaient de signer pour l'armée, leur mère, une petite femme boulotte, nerveuse et travaillante, ne put s'empêcher de porter une main à sa bouche. Devant les plus jeunes de ses enfants, elle voulut taire ce cri de désespoir qui lui était monté à la gorge. Sans explication, elle courut s'enfermer dans sa chambre en emportant avec elle le chapelet accroché autour du crucifix placé au-dessus de la table à manger. Gabriel regarda son frère d'un air hébété, en haussant les épaules. Monsieur Cormier, resté assis dans sa chaise berçante, dit alors, tout en nettoyant sa pipe :

— Laissez faire ça. Votre mère est fatiguée. C'est la surprise qui la met dans cet état. Allez vous coucher, les garçons. On parlera de tout ça demain matin.

Paul et Gabriel s'étaient à peine allongés qu'une odeur de pain brûlé qui émanait du poêle à bois se répandit dans toute la maisonnée. C'est Janette, une des bessonnes qui, à la course, s'occupa de sauver la fournée oubliée. La mère n'était jamais ressortie de sa chambre.

Pour la première fois, Camille et Gabriel se retrouvaient seuls dans la même pièce. Pendant qu'elle préparait la facture pour la session de photos, lui, nerveux, ne cessait de tripoter son béret, qu'il tenait entre ses mains. Alors que pas une parole ni même un regard n'avait été échangé entre eux dans le studio d'à côté, on entendait le père de Camille et Paul discuter comme s'ils se connaissaient depuis des années. Gabriel se disait qu'une telle occasion ne se représenterait peut-être plus. Ne voulant rien regretter, il rompit le silence.

— Vous aimez le travail, ici ?

Camille eut un tressaillement de joie lorsqu'elle entendit cette voix qui s'adressait si poliment à elle. Posant aussitôt son crayon sur le comptoir, elle releva la tête et répondit :

— J'aime bien rencontrer les gens. Il y a toujours de nouveaux visages qui défilent ici. Le plus agréable, c'est l'été, quand il y a des noces. Les gens sont nerveux; mais les jeunes mariés, on ne se fatigue jamais de les photographier.

Après une petite pause, elle reprit:

— Le plus difficile, ce sont les enfants, surtout les plus petits. Ils ont souvent peur de l'appareil photo.

Gabriel avait remis son béret et s'était levé. Il était un peu plus grand qu'elle, mais il était aussi beaucoup plus costaud qu'elle ne l'avait d'abord imaginé. En le voyant debout, aussi près d'elle, Camille sentit une bouffée de chaleur lui monter au visage.

— Vraiment? Les enfants ont peur de se faire prendre en photo? Finalement, les photographes, c'est comme les barbiers!

Camille sourit à la comparaison.

Accoudé sur le comptoir, en la regardant droit dans les yeux, Gabriel ajouta:

— Dites-moi, vous connaissez mon nom et celui de mon frère, mais moi j'ignore encore le vôtre.

Il mentait. Camille baissa les yeux en souriant. S'il était brusque et que ses manières manquaient de vernis, cela était sans aucune malice.

— Camille DuRepos! répondit-elle, relevant le regard vers lui.

Il était encore plus beau que la veille. C'était le vert de ses yeux qui la chavirait et qui faisait tout son charme. Même si les traits de son visage étaient durs et virils, une indicible trace de tendresse lui collait à la peau. Soudain, à trop l'observer, comme un aimant, elle eut cette envie folle et déraisonnable de toucher son visage du bout des doigts. Elle l'aurait embrassé, là, dans la boutique de son père, en plein jour, sur la bouche, dans le cou. Elle aurait aimé sentir ses mains rugueuses sur son corps. À cette pensée, elle eut honte et se mordit légèrement la lèvre inférieure. Jamais de telles envies n'avaient surgi aussi effrontément de son esprit. Mais il était si près d'elle que son parfum seul l'enivrait. Camille se dit qu'elle devait se contrôler, qu'il était mal de s'extasier de la sorte devant un étranger. Et du coup, elle perdit son sourire, devint toute froide. Elle reprit son crayon, prétendant s'affairer aux chiffres de la boutique.

— Camille! C'est un joli nom. Je crois vous avoir déjà vue à l'école, mais il y a longtemps. C'est curieux, on ne vous voyait plus dans la région.

Oubliant aussitôt sa froideur, Camille le regarda en souriant.

— J'habite ici depuis l'âge de huit ans, mais les trois dernières années, j'étais dans un couvent à Montréal.

— C'est bien d'être sortie de là.

— De Montréal? demanda Camille, confuse.

— Non, non, du couvent.

— Oui, je suppose. À vrai dire, ce n'était pas vraiment une vie pour moi.

Puis, un long silence s'installa entre eux. Gabriel, malgré tous ses efforts, n'arrivait plus à trouver les mots pour entretenir la conversation. Camille retourna à ses calculs. À ce moment, ils entendirent le rire fort et généreux de Paul qui traversait sans difficulté le mur du studio. Gabriel, plein d'amertume, se disait que son frère ne se retrouverait jamais à court de mots. Peu importe la situation, il avait le sens de la réplique. Jamais il ne serait resté planté là, debout devant une aussi belle femme et ne sachant plus quoi lui dire. Il aurait sûrement trouvé quelque chose d'intelligent pour la faire sourire. Et plus le temps s'écoulait, plus le silence devenait insupportable. Pressé de dire quelque chose, Gabriel resta accoudé sur le comptoir, coincé et mal à l'aise.

— Depuis combien de temps êtes-vous dans l'armée ?

Camille, elle-même embarrassée par la situation, avait senti l'obligation d'intervenir. Après tout, il avait été le premier à parler, il avait eu ce courage, il aurait été impoli de sa part de ne pas raviver la conversation. Retrouvant son assurance, Gabriel répondit d'un ton assuré :

— Un peu plus d'un an. Moi et Paul, nous nous sommes enrôlés ensemble.

Puis, hésitante, Camille demanda :

— Vous êtes-vous déjà battus ? Je veux dire à la guerre, avez-vous traversé ?

— Non ! Non ! Gabriel riait. Nous n'avons rien vu encore. Après l'entraînement, on nous a transférés à Woodstock, en Ontario, pour de la formation. J'y ai suivi des cours sur l'entretien de moteurs diesel, mais rien de bien dangereux. Pour le moment, l'armée a tellement de monde sur les bras que j'ai l'impression qu'elle ne sait plus quoi faire avec tous ces hommes. Il y a des semaines, je vous dirais, où on ne fait pas grand-chose à part dormir et manger.

— Comme c'est étrange ! Moi qui croyais que, dans l'armée, tout était organisé et que vous n'aviez jamais de temps libre.

— Oh ! Mais c'est souvent comme ça, Camille.

Gabriel ne voulait surtout pas donner une mauvaise impression de son métier.

— Les trois quarts du temps, tout est décidé à l'avance pour nous, seulement il y a des journées comme ça où on a le sentiment que même les haut gradés ne savent plus quoi faire de nous.

Camille referma le livre de comptabilité.

— Vous et votre frère, êtes-vous ici pour longtemps encore ?

— Deux semaines! Pourquoi? répondit-il promptement.

Mais à peine le mot échappé, il reconnut son impertinence. Camille, prise au dépourvu, sentit une rougeur embraser ses joues. Après un moment d'hésitation, d'un ton qui feignait l'indifférence, elle répondit:

— Oh! Comme ça, pour savoir. J'étais curieuse. Je me disais que c'était bien de la part de l'armée d'avoir de la compassion pour ses soldats et de leur donner des vacances en temps de guerre.

«Quelle idiotie!» se dit-elle. Elle avait la certitude de ne dire que des balivernes. Mais c'était sa faute à lui. «Pourquoi avait-il posé une question aussi directe?» se demandait-elle, soudainement frustrée. Comprenant qu'il l'avait mise dans l'embarras, Gabriel s'empressa d'intervenir.

— Je ne sais pas si l'armée a de la compassion, mais ma mère était contente de nous revoir, surtout qu'elle a perdu un frère pendant la Première Guerre. Depuis ce temps, l'armée, elle n'aime pas beaucoup qu'on en parle à la maison.

— On ne peut quand même pas la blâmer, ajouta Camille.

Puis, après y avoir pensé quelques secondes et se disant que c'était l'occasion, elle lui demanda, en baissant les yeux:

— Et votre copine, elle doit être heureuse de vous voir revenir en un morceau?

— Ma copine?

Gabriel ne comprenait pas.

— Hier, à l'église, vous étiez accompagné d'une jolie blonde. Elle riait beaucoup, ajouta-t-elle avec une légère pointe de mépris.

— Magalie? dit Gabriel en éclatant d'un grand rire doux et sincère. Non… non, Magalie est une voisine. Paul et moi, nous la connaissons depuis que nous sommes tout petits. Nous avons grandi ensemble. Elle et sa cousine Viviane nous accompagnent souvent à la danse.

Camille regrettait déjà son indiscrétion; mais elle était secrètement soulagée et heureuse d'apprendre que la blonde au sourire facile n'était qu'une amie d'enfance.

Au même moment, son père et le frère de Gabriel firent irruption dans la boutique.

— Eh bien, c'est maintenant votre tour, jeune homme, déclara Louis-Joseph en invitant Gabriel à le suivre.

Gabriel, qui avait l'impression d'avoir été pris sur le fait, s'était éloigné d'un bond du comptoir où se tenait Camille. Sans rien dire, il suivit Louis-Joseph, qui referma la porte du studio derrière lui. Camille replongea tout naturellement dans son livre de comptabilité, qu'elle venait à peine de refermer.

Pendant tout le déroulement de la session de photo, Gabriel répondit machinalement aux questions d'usage que lui posa Louis-Joseph. Préoccupé à l'idée que la fille du photographe était seule avec son frère, il voulait retourner dans la boutique le plus rapidement possible. Il savait combien Paul avait de la facilité avec les femmes. Il avait toujours séduit qui il voulait sans effort. Mais cette fois, s'il essayait de faire tourner la tête à Camille, Gabriel ne le lui pardonnerait jamais. À la seule pensée de le voir s'approcher d'elle avec son sourire et ses belles manières, Gabriel ne put s'empêcher de serrer les poings.

— Mais voyons, monsieur Cormier, vous en faites une tête, ce n'est qu'une photo.

Surpris, Gabriel s'excusa.

— Pardon, je pensais à autre chose.

— Vous êtes trop sérieux, détendez-vous, imaginez quelque chose d'agréable, lui conseilla Louis-Joseph, qui en était aux tout derniers ajustements de son appareil.

«À peine rencontrée, cette femme me trouble déjà», se disait Gabriel, un peu honteux d'en avoir voulu à son frère, qui n'avait probablement rien fait de mal.

— Bon! C'est beaucoup mieux. On ne bouge plus, on garde la pose... et voilà, c'est terminé. Vous voyez, il n'y a rien de triste là-dedans, mon cher ami.

De retour dans la boutique, Gabriel y découvrit Camille seule; à l'aide d'un plumeau, elle époussetait délicatement les photos accrochées aux murs. Tout en continuant son travail, elle se retourna vers lui en souriant et dit:

— Votre frère est sorti, il vous attend dehors. Je crois qu'il voulait fumer.

Comme l'avait soupçonné Gabriel, aussitôt que Paul s'était retrouvé seul avec la belle Camille, il n'avait pu résister à la tentation de l'impressionner. Mais Camille, stoïque derrière son comptoir, était restée froide devant ses galanteries. Paul comprit et n'eut aucun doute quant à ses chances. Il ne se donna même pas la peine d'insister. Il sortit brusquement, prétendant qu'on l'attendait dans l'auto.

Il était maintenant temps de partir. Gabriel s'apprêtait à sortir lorsque, soudainement, il s'arrêta et se retourna vers Camille. Décidé, il voulait l'inviter au bal de l'armée qui aurait lieu dans deux semaines. Mais voir Louis-Joseph encore debout dans l'encadrement de la porte du studio, les mains jointes dans le dos, l'en empêcha. S'il ne voulait pas perdre la face, il ne pouvait rester planté là, il devait dire quelque chose. La fixant dans les yeux, il demanda tout de go:

— Les photographies... quand seront-elles prêtes?

Camille, qui s'était arrêtée d'épousseter, n'eut pas le temps de répondre. Son père, qui ne réalisait même pas que la question ne lui était pas adressée, répondit avec empressement, toujours dans le but de plaire à la clientèle.

— Oh! Passez donc mercredi matin, tout devrait être terminé. Vous en profiterez pour choisir un cadre. J'ai reçu plusieurs nouveaux modèles, beaucoup moins dispendieux qu'on ne pourrait l'imaginer.

Gabriel secoua la tête en signe d'approbation.

— Mercredi, parfait, j'y serai sans faute.

S'il n'avait pas trouvé le courage de l'inviter, au moins il aurait une autre occasion de la revoir.

— Bon! Eh bien je dois y aller. Mon frère doit s'impatienter.

— Au revoir et à mercredi, monsieur Cormier, lança Camille qui avait repris son travail avec entrain.

Elle avait un sourire si complice que Gabriel ne put le mettre en doute. Le ton était trop doux, le regard trop sincère pour qu'il y ait confusion. N'eût été de son père qui était toujours là comme un embarras, il aurait sauté de joie. Mais, pour le moment, le mieux était de sortir calmement. Dehors, à la presse, pour éviter l'averse, il courut jusqu'à l'auto.

Ce soir-là, dans son lit, Gabriel, les deux mains derrière la tête, n'arrivait pas à trouver le sommeil. Ce n'était ni le ronflement de Paul, avec qui il partageait le même lit, ni la respiration sifflante de ses quatre jeunes frères couchés dans le lit d'à côté qui le tenaient éveillé. Il écoutait sans vraiment l'entendre le picotement de la pluie qui tombait sur la toiture par intervalles. Il ne pouvait s'empêcher de penser à elle. Et sans même en être consciente, Camille fut caressée toute la nuit par les plus délicieuses et délicates pensées qu'un homme amoureux pouvait entretenir pour une femme.

Robertville, 1943

$\mathcal{A}$la pointe du jour, Gabriel fut le premier levé dans la chambre. Le visage encore barbouillé de sommeil, il écarta les rideaux de la petite fenêtre du deuxième. Il poussa alors un soupir de soulagement. Après deux jours de temps gris et pluvieux, le soleil avait enfin forcé les nuages. Il faisait beau. La veille, en se couchant, Paul, qui avait compris que son frère voulait être seul pour retourner chercher les photos, lui avait bien fait comprendre qu'il devrait se débrouiller lui-même pour se rendre au village.

— Si tu veux tellement la voir, ta belle Camille, tu t'arranges. Moi, demain matin je dors.

— Ne t'inquiète pas pour moi, mon Paul. Je ne suis pas handicapé, et me rendre au village sans toi, ce n'est pas la fin du monde.

Les Cormier n'avaient ni téléphone ni automobile. Lorsque Paul et Gabriel voulaient sortir en ville ou même se rendre au village, c'était Paul qui s'occupait de trouver le transport. Il y avait toujours un ami ayant une auto qui passait les prendre. Mais Gabriel n'avait pas la popularité de son frère et se sentait mal à l'aise de quémander une place. Il s'était donc résolu à parcourir à bicyclette les douze kilomètres qui le séparaient du village. Lorsque les premiers rayons de soleil s'étaient répandus dans la chambre, il n'avait fait qu'un bond jusqu'à la fenêtre.

Il emprunta la bicyclette de son père pour la journée. Monsieur Cormier, un gros travailleur qui ramenait peu d'argent à la maison, n'était pas le genre d'homme qui aimait prêter ses affaires pour des frivolités. Il fit promettre à son fils de la lui ramener avant l'heure du souper. Après s'être lavé et rasé comme pour le jour de ses noces, Gabriel enfila son uniforme et donna un dernier coup de brosse à ses bottes. En descendant l'escalier, il s'aperçut que sa place avait été mise à la table de la cuisine. Sa mère, toujours debout de bonne heure, avait préparé du thé et avait coupé une épaisse tranche de pain blanc avec une assiette de mélasse. Son repas à peine avalé, il était dehors et enfourchait la bicyclette que son père gardait sous la véranda. Il fourra son béret dans la poche de son veston et prit la route. Même si le soleil était encore frileux aussi tôt en matinée, il n'aurait pu espérer plus belle journée. Dans le ciel, il n'y avait qu'une poignée de nuages immobiles et paresseux qui flottaient dans le silence azuré. De temps à autre, juste au bon moment, un vent faible le poussait gentiment dans le dos. Cette main d'encouragement l'aida à faire l'ascension de la grande butte en S. Une fois le sommet atteint, il n'eut plus qu'à se laisser descendre jusqu'au village. Avec peu d'effort, le cœur léger, il avançait sur la route de terre battue qui, encore humide de deux jours de pluie, était sans poussière.

Lorsqu'il aperçut le clocher tout blanc de l'église de Robertville perçant l'horizon, Gabriel s'arrêta et descendit de sa bicyclette. Il voulait éviter de se présenter chez les DuRepos à bout de souffle et en sueur. Il sortit son béret de la poche de son veston et s'en coiffa soigneusement. Tranquillement, il marcha le dernier kilomètre qui le séparait de Camille. En traversant le village, dans son excitation de revoir la fille du photographe, il entendit à peine les cris des enfants qui jouaient dans la cour de l'école.

Au moment de pousser la porte de la boutique, il fouilla dans ses poches de pantalon, pour s'assurer qu'il avait toujours l'argent. Lorsque les clochettes de l'entrée tintèrent, Louis-Joseph, Janine et Camille étaient encore assis à la table de la cuisine. Par réflexe, Louis-Joseph referma brusquement son journal.

— Bon! Ce sont probablement mes deux soldats qui arrivent.

Janine, qui sirotait un thé, d'un signe de tête fit discrètement comprendre à son époux qu'il pouvait se rasseoir. Camille, d'un geste rapide, s'était débarrassée de sa tasse et quitta aussitôt la table.

— Laissez, papa, je m'en occupe. C'est moi qui ai fait la facture, s'écria-t-elle en sortant de la cuisine en coup de vent.

Louis-Joseph, quelque peu étonné, se rassit lentement.

— Elle est bien pressée de servir la clientèle, celle-là. Et toi, pourquoi ris-tu de moi? Qu'est-ce qui se passe, ce matin?

Janine souriait.

— Mais voyons, personne ne rit de toi, Camille a simplement plus d'intérêt que toi pour servir tes deux soldats, c'est tout.

— Pour quoi faire? En voilà des mystères, questionna Louis-Joseph.

— Dois-je te faire un dessin?

Après un long silence, il crut comprendre l'allusion de son épouse.

— Ah! Tu crois… vraiment?

— C'est une évidence.

— Mais, voyons, Janine, ce ne sont que de simples soldats et ils sont si jeunes!

— Simples soldats ou pas, ce sont des hommes avant tout, et de fort beaux hommes d'ailleurs.

— Comment, beaux? Tu les a vus?

— Je les ai aperçus de loin, dimanche dernier.

Songeur, Louis-Joseph replongea dans la lecture de son journal. Au bout d'un moment, lorsqu'il entendit des voix venant de la boutique, il reprit.

— Mais cela est quand même soudain.

Janine eut un léger haussement d'épaules avant de répondre.

— Camille a vingt et un ans, il y a longtemps qu'elle est en âge d'être en amour.

— Tu a sans doute raison. Je m'y perds dans ce genre de choses.

Elle sourit et mit un doigt sur ses lèvres, l'invitant à ne plus parler de cela pour le moment.

— Laissons faire les choses, on verra bien. Comme tu dis, ils sont si jeunes.

Ce matin-là, en sortant du lit, Camille était si heureuse à la pensée de revoir son soldat qu'elle mit un temps déraisonnable pour faire sa toilette. Elle vida une partie de sa commode et étendit les vêtements sur son lit. Après avoir arrêté son choix sur sa robe grise, celle qui la mettrait le plus à son avantage, elle s'habilla avec un soin qu'elle réservait habituellement pour les grandes occasions. Comme touche finale, elle couvrit ses lèvres d'une mince couche de rouge. Le maquillage était si fin et la couleur si pâle que seule sa mère remarqua le changement.

— Bonjour, monsieur Cormier.

— Bonjour.

— Votre frère n'est pas avec vous ?

— Non, il n'a pas voulu m'accompagner. Il est resté couché.

— Ah ! C'est dommage.

Camille, visiblement heureuse de se retrouver un moment seule avec lui, fit semblant que cela la désolait. Derrière le comptoir, elle retira d'un large tiroir une grande enveloppe jaune qui portait les initiales de son père. Délicatement, elle fit glisser trois photos, séparées par un papier de soie.

— C'est bien ce que vous aviez demandé ? Deux photos de 8 ½ sur 11, et une troisième au format poche ?

Gabriel, qui regardait les photos, impressionné, répondit :

— C'est vraiment du très beau travail. Votre père, il connaît son métier.

— Merci. Je lui ferai part de votre compliment.

Leurs regards se croisèrent dans le silence. Gabriel profita de cette proximité pour lui demander si elle lui permettait de la tutoyer.

— Ça vous dérangerait si je vous appelais Camille ?

Sans répondre, d'un signe de tête, elle lui signifia son approbation en souriant.

Avec les trois photos sorties de l'enveloppe était également tombée la facture. Camille, de son écriture fine et précise, y avait inscrit le montant et le nom du client. Gabriel s'empressa de sortir son argent. Elle déposa l'argent dans un petit tiroir-caisse à peine dissimulé sous le comptoir et lui remit la monnaie. La transaction terminée, Gabriel se mit spontanément à parler avec elle de choses et d'autres, avec une aisance qui le surprenait lui-même. Sa gêne de la première rencontre s'était évanouie comme le frimas qui fond sous les premiers rayons du soleil matinal.

Et tranquillement, au fil de leur conversation sans importance, sans même en être conscients, tout doucement ils se rapprochaient l'un de l'autre. Comme deux vieilles connaissances qui se retrouvent après une trop longue absence, au travers des mots, ils se devinaient. Gabriel, sous le charme de la beauté de cette jeune femme, ne pouvait étancher sa soif d'amour. Plus il la regardait, plus cette envie de goûter ses lèvres humides le déchirait. Mais il n'en ferait rien. Même si ne pas la toucher était quasi insupportable, tout était encore trop fragile. Il avait l'impression que la moindre maladresse de sa part serait jugée impardonnable. Pourtant, Camille buvait déjà secrètement ses moindres faits et gestes.

Après avoir parlé de tout et de rien, de l'hiver, de ces tempêtes qui paralysaient le pays, du beau temps qui était revenu, de la routine qui meublait la vie d'un soldat et des menus travaux que Camille répétait à longueur de journée pour aider sa mère à la maison et son père dans la boutique, il était maintenant temps de partir. Une quarantaine de minutes s'étaient écoulées depuis qu'il était entré dans la boutique. Il n'aurait pas été convenable d'étirer davantage la rencontre. Gabriel en était à cette réflexion lorsqu'il consulta discrètement sa montre. Pressentant son départ tout proche, Camille s'était subitement tue. Un lourd silence s'installa entre eux. Gabriel regardait autour de lui comme s'il était à la recherche de quelque chose. Puis d'un coup, se décidant enfin, il fit sa demande.

— Samedi soir prochain il y aura un bal pour les soldats à Bathurst. Moi, Paul et son ami, on s'y rend en auto. Si c'était possible, j'aimerais que vous m'accompagniez.

Camille n'exprima aucune émotion. Craignant de crier sa joie, elle se retint d'accepter immédiatement. Gabriel, mal à l'aise, interpréta aussitôt son hésitation comme un refus. Presque sur la défensive, il ajouta, oubliant même de la tutoyer :

— Je vous demandais ça par politesse, Camille... Si vous n'êtes pas disponible, je comprendrai... Sentez-vous à l'aise.

Cette fois, Camille ne fit pas attendre sa réponse.

— Gabriel, je n'ai personne. Je serais ravie de t'accompagner à ce bal. Mais avant, j'aurais une faveur à te demander. Je crois qu'il serait préférable que tu rencontres mes parents. Tu comprends ? Ils sont gentils, tu verras. Tu as déjà rencontré mon père, ce n'est pas un homme sévère. Mais pour la forme, par politesse, si tu venais à la maison avant le bal, ce serait mieux vu. Surtout pour ma mère, elle tient à ce genre de choses.

Dès qu'il eut compris qu'elle acceptait son invitation, il sut qu'il ferait à peu près n'importe quoi pour lui faire plaisir. Rencontrer ses parents, ce n'était rien, une formalité à laquelle il se plierait sans la moindre hésitation. Avant de partir, il ramassa ses photos et lui serra la main poliment. Dehors, en enfourchant sa bicyclette, Gabriel était persuadé qu'il ne pouvait exister sur la terre, à ce moment précis, un homme plus heureux que lui. Même les douze kilomètres de montée qui l'attendaient sous le soleil chaud n'arrivaient pas à entacher son bonheur, tellement sa joie était immense.

Le samedi arrivé, Gabriel, peu de temps après le souper, reprit la bicyclette de son père pour retourner au village. Il était entendu avec Paul que l'auto s'arrêterait les prendre, lui et Camille, à vingt et une heures. Au retour de la danse, il ramènerait la bicyclette dans le coffre arrière. Ainsi, tel que l'avait souhaité Camille, Gabriel aurait une heure pour faire la connaissance de ses parents. Heureusement pour lui, le beau temps persistait. Quand il quitta la maison, le soleil se couchait dans son dos et le vent contraire était tombé. Une heure avant l'arrivée de son frère, il entrait déjà dans le village. Comme il l'avait fait précédemment, avant de frapper à la porte des DuRepos, il descendit de bicyclette et marcha le dernier kilomètre.

En ouvrant la porte, Camille lui prit la main sans gêne et l'entraîna vers le salon. Son père et sa mère y étaient déjà installés, attendant patiemment la visite du prétendant. Marchant derrière elle, il examinait les lieux sans rien dire. Au bout du long corridor un peu sombre et au plancher verni, on voyait les premières marches de l'escalier de bois franc. Sur les murs de couleur jade étaient accrochées de grandes et belles photos de la famille DuRepos à différentes époques. Toutes étaient ornées de cadres massifs et noirs. Plus il s'approchait du salon, plus la voix aiguë, presque féminine de Tino Rossi était reconnaissable. Devant le luxe et la grandeur de la maison, Gabriel ne put s'empêcher de penser que les DuRepos n'étaient que trois pour habiter un endroit aussi immense alors que chez lui, avec ses frères, ses sœurs et ses parents, ils étaient douze à partager presque deux fois moins d'espace. Au moment d'entrer dans le salon, Gabriel enleva machinalement son béret et passa rapidement une main dans ses cheveux courts et ondulés. En apercevant sa fille et Gabriel, monsieur DuRepos se leva et serra la main moite du jeune soldat aux joues rougeâtres.

— Monsieur Cormier, je ne pensais pas vous revoir si tôt, dit-il en souriant. Voici mon épouse Janine.

Gabriel salua poliment la mère de Camille, qui buvait un thé.

— Assoyez-vous. Nous écoutions un peu de musique.

Janine leur fit signe de s'asseoir sur le canapé en face d'elle.

— Ma mère raffole des chanteurs français. Je vais dans la cuisine. Veux-tu quelque chose à boire, Gabriel? demanda Camille.

— Oui, de l'eau, s'il vous plaît.

Il s'assit sur le canapé moelleux recouvert de coussins de soie verte. Silencieusement, il palpa le salon du regard. Un phonographe était posé sur une petite table près d'une étagère où s'empilaient une collection de soixante-dix-huit tours bien rangés. Un gros poste de radio en bois trônait dans un coin, à côté de la grande fenêtre. Le piano droit se trouvait collé contre la bibliothèque. Le gros meuble à la devanture vitrée et dont tous les rayons étaient chargés de livres au dos cuivré couvrait à lui seul tout un pan de mur. Jamais il n'avait vu autant de livres à l'intérieur d'une maison. Intimidé, il n'eut plus le courage d'ouvrir la bouche.

— Alors, monsieur Cormier, comment les choses se passent-elles dans notre armée canadienne ? Vous et votre frère... Paul, je crois... quand vous êtes-vous enrôlés ?

Monsieur DuRepos, qui devinait le malaise de Gabriel, voulut alléger la tension. Avec courtoisie il amorça la discussion. L'embarras des premières minutes laissa la place à une rencontre teintée d'amabilité et de respect mutuel. Janine parlait peu, préférant observer et écouter cet homme sous le charme de qui sa fille était tombée. Louis-Joseph, par ses questions, invita le prétendant à parler de lui, de sa famille et de ses projets. Vaguement conscient qu'on évaluait sa valeur, Gabriel se mit à chercher tout ce qui pouvait le faire mieux paraître. Mais au fil de ses réponses, force lui était de réaliser que mis à part sa santé, son honnêteté et sa vaillance au travail, il provenait d'une famille bien modeste. Sans argent, sans vrai métier à part son travail dans les chantiers, et pour le moment encore simple soldat, c'était tout ce qu'il pouvait offrir. Mais sans le savoir, Gabriel donnait les bonnes réponses. Janine entendait et comprenait qui était assis dans son salon. Elle aimait la franchise de ce jeune homme qui faisait mille efforts pour plaire mais ne s'abaissait jamais à mentir pour impressionner. Gabriel s'était raconté, il avait parlé de sa famille sans honte et avec un respect qui ne laissait aucune arrière-pensée.

Camille assise près de lui, comme sa mère, parlait peu et observait. Elle servait à boire et, de temps à autre, jetait un regard complice à sa mère.

Tout doucement, sans heurt, le temps de cette première rencontre s'était écoulé. D'une autre pièce, le tintement de ce qui semblait être une grosse horloge annonça qu'il était vingt et une heures. Quelques minutes plus tard, dehors, Paul et ses amis signifiaient leur arrivée par deux petits coups de klaxon secs. Aussitôt, dans le salon, tous se levèrent ensemble.

— Je crois que vos amis sont là, déclara Janine en souriant.

— Oui, madame DuRepos, c'est mon frère.

Gabriel serra la main de monsieur DuRepos et remit son béret.

— Merci pour tout et à la prochaine, balbutia Gabriel en sortant.

— Amusez-vous bien, répondit Louis-Joseph.

Camille enfila son manteau bleu, qu'elle portait au printemps. Les DuRepos accompagnèrent le couple jusqu'à la porte mais n'osèrent pas sortir dehors. Louis-Joseph jeta discrètement un coup d'œil par la fenêtre de la boutique. Il vit sa fille s'asseoir sur la banquette arrière de la grosse Chevrolet. Il eut alors un pincement au cœur. Il ne l'aurait jamais confié à son épouse, mais de voir pour la première fois sa fille partir avec un homme le rendait sensible.

Lorsqu'ils retournèrent au salon, Janine, curieuse, lui demanda de partager ses impressions.

— Et puis, qu'en penses-tu ? Il te plaît ?

Louis-Joseph réfléchit un moment avant de répondre.

— Au moins, il est poli, c'est déjà ça.

— Poli ? C'est tout l'effet qu'il te fait ?

Louis-Joseph, agacé, leva les bras.

— Janine, quand même, nous ne l'avons vu qu'une petite heure, comment veux-tu que je me fasse une opinion ? On ne connaît pas le vrai visage d'un homme en un aussi court laps de temps. C'est impossible.

— Moi, je dis que malgré son jeune âge, il sait ce qu'il veut. Jamais il n'a évité une de tes questions. Il aurait très bien pu nous en faire accroire, tenter de nous impressionner. Je l'ai bien aimé, ce garçon.

— Eh bien tant mieux, parce que notre fille vient de partir avec lui.

Après un silence, Louis-Joseph ajouta :

— Mais quand même, elle est si jeune.

— Voyons, Louis-Joseph, c'est de son âge... c'est de son âge.

Il y avait foule au *Gaëtan Dance Hall*. Jamais on n'avait vu, depuis le début de la guerre, autant de soldats remplir la salle. Les jeunes adultes de la ville, anglophones pour la grande majorité, faisaient peu de cas des francophones des villages avoisinants qui se rendaient aux danses. Les deux groupes ne se mélangeaient pas et gardaient poliment leurs distances. S'il arrivait de temps à autre qu'une escarmouche éclate au cours d'une soirée, la plupart du temps c'était une histoire de femme qui était à la source du conflit. Pour éviter que les choses s'enveniment et que la ville interdise les danses du samedi soir, de chaque côté on s'empressait de séparer les querelleurs.

L'entrée de Camille dans le Hall fut remarquée. La nouvelle, qui n'avait jamais fréquenté l'endroit, ne laissait personne indifférent.

Aussitôt qu'elle et Gabriel mettaient le pied sur la piste de danse, ils devenaient le centre d'attention. En plus de sa beauté et de son élégance, Camille dégageait une assurance qui attirait le regard des hommes et aiguisait la curiosité des femmes. Avec sa robe rouge et ses souliers de la même couleur, on pouvait difficilement ignorer sa présence. À deux reprises, des hommes de la ville, des civils en bel habit, l'invitèrent à danser. Mais chaque fois, elle déclina poliment leur invitation. Seuls Gabriel et Paul eurent le privilège de danser avec elle.

Au cours de la soirée, une blonde vint soudainement s'asseoir à la table où Paul, Gabriel et Camille étaient installés. Camille reconnut immédiatement cette femme qui, dans la cour de l'église, était restée accrochée au bras de Gabriel.

— Bonsoir, les frères Cormier! Mais voyons, Gabriel, tu en fais une tête, tu ne me présentes pas ta nouvelle amie?

Gabriel, visiblement mal à l'aise, se plia à sa demande.

— Magalie Boudreau, je te présente Camille DuRepos. Camille habite à Robertville, c'est la fille du photographe.

— Tiens tiens, le photographe... enchantée de faire votre connaissance. Un conseil, ma Camille, tu ferais mieux de faire attention aux frères Cormier. Des soldats, on ne sait jamais à quoi ça pense.

Elle fixait Camille droit dans les yeux, un sourire de dédain sur les lèvres. Le temps s'arrêta. Les deux femmes se regardaient avec une intensité et une froideur qui faisaient peur. Pendant quelques secondes, Gabriel, paralysé, crut qu'elles en viendraient aux coups. Mais Camille, qui n'avait pu ignorer l'haleine avinée de cette femme, préféra ne pas accorder d'importance à ses propos mesquins.

Témoin de la scène, Paul tira son frère d'embarras.

— Allez Magalie, viens danser. Tu ne peux pas refuser une danse à un homme qui bientôt se retrouvera au front!

Après être restée silencieuse un moment, Magalie, dans un grand éclat de rire qu'elle exagérait, jeta la tête en arrière.

— Ah, Paul, mon beau Paul, toi au moins tu sais vivre.

Elle lui tendit les bras. Les deux quittèrent la table. En s'éloignant, Magalie lança un clin d'œil à Gabriel qui put à peine dissimuler son embarras. Camille essuya l'affront par l'indifférence. Jamais elle n'aurait fait une crise de jalousie pour si peu. Mais si Gabriel ne voyait en cette femme qu'une innocente amitié d'enfance, soit il était aveugle, soit il se mentait. Peu importe, pour ne pas gâcher la soirée, elle préféra mettre l'incident de côté. Heureusement, Magalie ne revint plus à la table.

Pendant la soirée, Paul, qui connaissait tout le monde, se déplaça d'une table à l'autre pour bavarder avec des amis et quelques femmes, dont plusieurs se laissaient facilement prendre par la taille. De temps à autre, avec deux ou trois copains, il disparaissait. Il sortait dehors pour partager quelques verres de fort avec eux, cachés dans une auto. Gabriel, généralement aussi assoiffé que son frère, les aurait suivis, mais cette soirée était différente. Pour la première fois, il était accompagné. Il préféra laisser la bouteille aux autres.

Vers une heure du matin, l'orchestre annonça que les deux prochaines pièces seraient les dernières. Serré contre Camille, Gabriel tenta de l'embrasser. Mais à deux reprises, elle détourna la bouche, ne lui laissant que son cou. Malgré tout ce qu'elle ressentait pour lui, elle jugeait qu'il était prématuré de l'embrasser en public. Gabriel, qui ne comprenait pas son refus, n'osa plus faire d'avances. On ralluma les lumières et lentement, dans le brouhaha et le bruit des chaises que l'on déplaçait, les couples se mirent à quitter la salle. Paul, passablement ivre, fut un des derniers à sortir. Titubant légèrement, il cherchait un endroit pour continuer la fête. Dans l'auto, assis sur la banquette avant, il ne cessait de parler et tentait de faire rire Camille.

— Allez, Gabriel, viens avec nous. Les sœurs Maillet font une fête ce soir. Tout le monde sera là. Amène Camille, il faut la présenter aux autres. Pas vrai, Ti-Pierre?

Pierre, qui conduisait l'auto, était aussi saoul que Paul.

— Oui, c'est vrai, Gabriel, il faut venir.

Il tendit à Gabriel une bouteille de whisky qu'il avait entre les deux jambes. Gabriel s'impatientait. La voix chargée d'impatience, il dit:

— Non, Paul ! On retourne à Robertville avant. Camille doit rentrer chez elle. Après, vous ferez ce que vous voulez.

— Bon ! Bon ! Bon ! Ne te fâche pas, nous autres, on voulait juste montrer à la plus belle fille du village qu'on sait s'amuser.

— Paul, s'il te plaît !

— O.K., je dis plus rien.

Après avoir roulé une dizaine de minutes sur les routes cahoteuses, Paul, tout blême, finit par se taire. Pierre, qui en avait l'habitude, lui ordonna d'un ton sec de baisser sa vitre. Mais peu après, il durent s'arrêter brusquement sur le bord de la route. Paul, pouvant à peine se tenir debout, courut dans le fossé pour vomir. Gabriel en voulait tellement à son frère qu'il se disait que jamais il ne lui pardonnerait cela. Au même moment Camille, consciente du malaise de Gabriel, prit sa main dans la sienne et la serra en souriant. S'approchant de lui, elle murmura à son oreille :

— Ce n'est pas ton frère que j'aime, c'est toi, Gabriel. La soirée était parfaite. Tu n'as rien à te reprocher.

Et pour la première fois, elle l'embrassa.

Comme il ne lui restait qu'une semaine de permission, Gabriel multiplia les occasions de revoir Camille. Aussi souvent que cela était possible et raisonnable de le faire, il se rendait chez elle. Deux fois, il avait été pris dans des averses qui balayaient toute la région. Même le dimanche matin, à la messe, il s'organisait pour la voir. Il la regardait s'asseoir tout à l'avant de l'église, seule avec son père, pendant que sa mère, comme elle le faisait chaque dimanche, était installée à l'orgue. La famille Cormier n'avait pas les moyens d'avoir un banc. Gabriel restait debout à l'arrière de l'église. Malgré la distance qui le séparait d'elle, jamais il ne la perdait de vue pour autant. Par intuition, Camille devinait son regard amoureux lui caresser le dos. Et plus d'une fois, succombant à la tentation, elle se retourna pour voir son visage et répondre à son sourire. Elle n'attendait plus qu'une chose, la fin de la messe, pour le retrouver et lui dire quelques mots sur le perron pendant que l'église se vidait des paroissiens.

Pour leur part, les DuRepos s'étaient vite habitués aux visites de Gabriel. Les premières impressions de Janine s'étaient avérées justes. Le jeune homme était bien élevé et savait respecter la consigne des bons soirs. Son attachement à Camille était si évident qu'il crevait les yeux. Trop peut-être, se disait parfois Janine, inquiète de ce que l'avenir pouvait réserver aux soldats en ces temps de guerre. Par la force des choses, les DuRepos se voyaient adopter Gabriel comme quelqu'un de la famille. En quelques jours seulement, toutes ces heures que Camille et lui avait partagées furent suffisantes pour tisser entre eux des liens qui les uniraient pour la vie. Jamais elle n'aurait cru qu'aimer de cette façon pouvait exister. Tous les romans français qu'elle avait lus, tous ces livres à l'index que sa mère lui avait prêtés n'étaient qu'une pâle imitation des sentiments que Gabriel éveillait en elle depuis trois semaines. D'un rendez-vous à l'autre, toute l'affection et la tendresse qu'ils se manifestaient mutuellement ne faisaient que gagner en intensité.

Le dernier samedi avant son départ, Gabriel voulut offrir à Camille quelque chose de spécial. Il lui proposa de visiter le terrain que son grand-père lui avait légué en héritage. La rivière Népisiguite, qui délimitait sa propriété, n'était qu'à une dizaine de kilomètres de la demeure des DuRepos. Camille, qui voulait être avec lui le plus souvent possible, fut emballée par l'idée. La veille, elle demanda à son père de sortir sa bicyclette restée rangée dans le cabanon avec la table et les chaises longues de la terrasse. Le lendemain, en début d'après-midi, le temps était couvert et un vent faible glissait paresseusement sur la région. Malgré tout, il était peu probable qu'il pleuve. Si sombres que soient les nuages, on voyait encore ici et là le soleil y faire des percées. Convaincus d'avoir du beau temps, Camille et Gabrielle enfourchèrent leurs bicyclettes et partirent visiter ce coin de terre, la seule chose de valeur dont Gabriel était propriétaire.

Arrivé le premier, il s'arrêta près du fossé et descendit de sa bicyclette. Les vents contraires forcèrent Camille à fournir plus d'effort qu'elle ne s'y attendait. Lui laissant quelques secondes pour reprendre son souffle, Gabriel fut frappé par la finesse des traits de son visage et de la couleur de ses yeux qui, au grand air, dévoilaient une beauté qui se rapprochait de celle des enfants. Sans rien dire, il s'occupa de sa bicyclette, l'appuyant contre un arbre à l'entrée du boisé.

— Ça va? lui demanda-t-il en souriant.

— Oui, oui, chaque année, c'est la même histoire. La première balade de l'été, j'en fais toujours un peu trop, Mais ça va aller, je suis juste un peu essoufflée.

Il prit sa main et l'invita à le suivre. Sous leurs pieds, le sol tapissé d'une épaisse couche de feuilles mortes émettait un son doux et feutré. On voyait partout de petits champignons à tête blanche et de jeunes fougères qui leur montaient déjà à la hauteur des genoux.

C'était la première fois que Camille voyait Gabriel sans son uniforme. Il portait une chemise blanche et un pantalon noir fait d'un tissu à l'apparence rugueuse. De larges bretelles grises définissaient la ligne de ses épaules et de sa poitrine. Obligée de lâcher sa main pour mieux le suivre entre les arbrisseaux aux branches armées d'épines qui leur barraient le passage, elle le laissa prendre un peu de distance. C'est à ce moment qu'elle prit conscience de l'assurance qui marquait chacun de ses gestes. Jamais au cours des deux dernières semaines elle ne l'avait vu si naturel, si sûr de lui-même, si détendu. Depuis qu'il avait quitté la maison, c'était lui qui avait pris le contrôle, lui seul qui décidait. Elle, respectueuse, le suivait, lui faisait confiance. C'était un autre homme qui marchait devant elle, beaucoup plus fort qu'elle ne l'avait réalisé C'est à ce moment qu'elle comprit que depuis deux semaines, c'était lui qui faisait tous les efforts. C'était lui qui, chaque jour, se pliait de son mieux à son monde, à sa façon de vivre. Toutes ses maladresses, ses hésitations, elle comprenait maintenant d'où elles provenaient.

Mais ici dans la forêt, il n'y avait plus d'hésitation, il n'y avait plus de gaucherie. Il savait où mettre le pied, il savait quoi faire et quoi dire. Parce qu'ici, c'était chez lui, c'était son monde et, depuis l'âge de quatorze ans, il y avait gagné sa vie. Pour la première fois, c'était elle qui devrait s'adapter à son univers.

Se retournant vers elle, Gabriel s'arrêta et retint avec sa main une longue branche pour qu'elle puisse passer sans s'y accrocher. Il lui demanda :

— Encore fatiguée ?

— Non ! Mais si j'avais su, j'aurais mis des souliers plus souples.

— On y est presque.

Elle reprit sa main et, après avoir fait quelques pas, ils débouchèrent sur une clairière au centre de laquelle se trouvait un vieux pommier rabougri et au dos courbé.

— Voilà, nous y sommes. C'est ici que je veux construire ma maison.

Camille regardait autour sans rien dire.

— C'est beau ? demanda-t-il, curieux de connaître son opinion.

— Oui ! C'est beau, c'est magnifique, Gabriel.

Heureux de sa réaction, il se lança dans une longue description de ce que seraient sa maison et cet atelier qu'il voulait construire. Prenant soin de ne pas l'interrompre, elle écouta avec intérêt tous les projets qu'il entretenait pour ce terrain. Tant de choses l'attendaient après la guerre. Par des gestes rapides et sûrs, il expliquait dans les moindres détails toutes les pièces de la maison et du petit atelier qu'il y annexerait. Il avait pensé à tout, rien ne manquait. Il exprimait un tel enthousiasme devant l'avenir que cela en était presque contagieux. Elle était convaincue que rien au monde ne pourrait faire avorter ses projets. Elle l'aurait écouté pendant des heures tellement c'était beau de le voir et de l'entendre parler de cette maison encore invisible.

Soudain, croyant qu'il avait trop parlé et qu'il l'ennuyait, Gabriel se tut brusquement.

— Tu dois penser que je suis fou ? demanda-t-il en baissant le regard au sol.

— Non, pas du tout. Je te trouve beau, c'est tout.

Gabriel, peu habitué à ce genre de franchise, ne sut pas quoi répondre à son compliment.

— Allez, tu me la montres, cette rivière ? demanda-t-elle en s'approchant de lui.

Impressionnée par la paroi rocheuse de la falaise, Camille voulut la voir de plus près en mettant le pied tout au bord de la pierre escarpée. Se penchant légèrement vers l'avant, elle vit, tout au fond du ravin, une rivière argentée qui coulait à vive allure. La crue des eaux gonflées par les averses des derniers jours bouillonnait contre les roches qui tentaient de ralentir sa course. Ne voyant pas le danger, elle tenta de s'approcher davantage. Pris d'un mouvement de panique, Gabriel, sans même y penser, l'agrippa à la hauteur de sa hanche pour la tirer avec force. Surprise, elle se retrouva face à lui. Avant même qu'elle n'ait le temps de dire quoi que ce soit, il la serra contre lui et l'embrassa. Cette fois, elle montra si peu de résistance que ni l'un ni l'autre n'y crurent pour un seul instant. Elle se laissa emporter, soufflée par un élan de passion. Sa langue charnue, comme une bête n'arrivant plus à se satisfaire, se glissa entre ses lèvres. Elle sentait son corps en chaleur et ses seins qui, pour la première fois, s'écrasaient contre sa poitrine qui se gonflait au rythme de sa respiration saccadée. Cette brûlure au ventre, cette douleur qui lui faisait du bien, elle aurait voulu la suivre jusqu'au bout. Elle aurait voulu encore plus de lui. Camille, la première, reçut une goutte d'eau sur la joue. En quelques secondes, la pluie les obligea à se séparer et à se mettre à l'abri. En riant comme des enfants, ils coururent se blottir sous les branches d'une épinette géante. Mais l'ondée cessa aussi vite qu'elle fut violente. Le ciel alors délivré de cette masse de nuages sombres fut inondé de soleil.

Gabriel et Camille comprirent qu'il était maintenant temps de rentrer.

Dimanche, le lendemain, à la toute dernière minute, à force d'insistance, Camille avait fini par convaincre son père de la conduire à la gare de Bathurst. Elle voulait absolument revoir Gabriel une dernière fois avant son départ.

En plus des frères Cormier, une centaine de soldats et de nouvelles recrues de toutes les régions du nord du Nouveau-Brunswick prendraient également le train de seize heures. La grande majorité de ces hommes se rendaient dans les camps de Woodstock, de Fredericton ou de Saint John. La pluie fine, qui semblait suspendue dans l'air, n'avait rien pour égayer la foule qui s'était massée sur le quai d'embarquement. Les parents, les frères, les sœurs et les amis étaient venus accompagner les soldats en partance. On voyait ici et là, dans la foule agitée et bruyante, les mères, les épouses et de jeunes fiancées qui, discrètement, un mouchoir à la main, pleuraient le départ de l'être cher. On s'embrassait, se donnait l'accolade, se serrait à nouveau, avant de laisser les hommes monter à bord. Certains soldats, surtout les recrues qui n'avaient encore rien vu, toujours trop sûrs d'eux-mêmes, tentaient d'encourager leur entourage par des paroles réconfortantes.

— Ne vous inquiétez pas, maman. Je vous l'ai promis, je serai prudent. Priez pour moi, c'est tout, il n'y a rien d'autre à faire.

Mais depuis des mois, les nouvelles étaient mauvaises et des rumeurs se propageaient partout au pays. De plus en plus, on entendait parler d'un débarquement massif des Alliés sur les côtes françaises. Et comme l'échec de Dieppe en 1942 était encore frais dans la mémoire populaire, ces départs de masse ne laissaient présager rien de rassurant. Si les recrues pouvaient encore gagner un peu de temps à cause de leur entraînement de base, tous les autres, ceux qui l'avaient déjà complété, seraient les prochains à faire la grande traversée. Gabriel et Paul faisaient partie de ceux-là. Et tous savaient que parmi ces hommes qui toucheraient les terres de la vieille Europe, plusieurs y resteraient pour l'éternité.

Même si Gabriel et son frère s'étaient rendus à la gare très tôt en après-midi, ni l'un ni l'autre ne manifestèrent beaucoup d'empressement pour monter à bord des wagons qui s'emplissaient constamment. Avec son sac en bandoulière sur l'épaule, Gabriel fumait tranquillement une dernière cigarette pendant que Paul bavardait avec deux recrues. Visiblement curieux de savoir ce qui les attendait, les deux jeunes hommes écoutaient, tout excités, les moindres détails que leur fournissait Paul. Ils avaient tout juste l'âge légal pour s'enrôler, dix-neuf ans. Avec les civils, il devait y avoir sur le quai d'embarquement entre deux et trois cents personnes qui attendaient le départ de seize heures. Ce fut par hasard que Gabriel aperçut au loin Camille, debout près de l'auto de son père. La veille, avant de le quitter, elle lui avait confié qu'elle n'aimait pas les départs ni les adieux. Elle préférait ne pas le voir partir. Pourtant elle était là, immobile, à fouiller la foule d'un regard teinté d'inquiétude. Sans même donner d'explication à son frère, il déposa son sac par terre et, d'un pas rapide, se mit à marcher dans sa direction. Plus il s'approchait d'elle, plus il oubliait la foule au travers de laquelle il se glissait comme d'autres fendent le courant d'une rivière à la nage. Camille, vêtue d'un bel imperméable de couleur foncé, portait un chapeau à voilette et tenait serré sur son ventre un petit sac à main de cuir verni. Restée à l'écart de l'agitation générale, elle cherchait parmi tous ces hommes en uniforme le visage de Gabriel. Mais le temps la pressait et la rendait nerveuse. Dans moins de cinq minutes, on annoncerait le départ. Incapable de le retracer, elle se disait que lui et son frère avaient peut-être déjà pris place à l'intérieur de l'un des wagons. S'accrochant à cet espoir, elle se mit à scruter tous les soldats qui, par les fenêtres grandes ouvertes, prolongeaient les adieux à leurs proches qui se pendraient à eux jusqu'à la dernière seconde. Persuadée qu'il était désormais trop tard, qu'elle ne le reverrait plus, elle s'apprêtait à abandonner.

C'est à ce moment qu'une main d'homme se posa en douceur sur son épaule mouillée par la bruine.

— Camille !

Avant même de se retourner, elle avait reconnu sa voix. Intimidée à l'idée de l'embrasser devant son père resté assis dans l'auto, elle ne put toutefois s'empêcher de le serrer dans ses bras.

— Je croyais que tu n'aimais pas les départs, que tu ne viendrais pas, dit-il.

— Oui je sais, je sais, je suis idiote. Je disais cela hier, mais aujourd'hui, toute la journée je n'ai cessé de penser à toi, Gabriel.

— Tu arrives trop tard. On doit partir dans quelques minutes.

Camille, presque en larmes, se mit alors à fouiller nerveusement dans son sac à main. Elle en sortit une petite enveloppe brune dont elle vida le contenu dans la main de Gabriel.

— Tiens ! C'est un cadeau. Ma grand-mère me l'avait offert pour ma première communion. C'est pour la chance. Je voulais absolument te le remettre avant que tu partes.

Il tomba de l'enveloppe un pendentif d'argent en forme de cœur. Le bijou, muni de pentures miniatures, pouvait s'ouvrir. À l'intérieur, Gabriel y découvrit le visage de Camille souriant tendrement. La photo était toute récente. Des haut-parleurs installés à l'extérieur de la gare, on entendit une voix nasillarde d'un homme annoncer le départ.

— *Passengers going to New Castle, Moncton and Halifax, all aboard.*

Serrant le pendentif dans sa main, Gabriel embrassa Camille sur la joue et lui souffla à l'oreille.

— Je t'aime et dès que j'ai des nouvelles, je t'écris.

Comme d'autres soldats qui avaient trop tardé à monter à bord, Gabriel dut courir pour rattraper le train qui décollait lentement.

Dans l'auto, Louis-Joseph eut du mal à trouver les mots pour consoler sa fille, qui avait fait tant d'efforts pour étouffer ses larmes mais n'y était pas arrivée.

— Mais voyons, Camille, ne t'inquiète pas comme ça. Ton Gabriel, il n'a pas encore fait la grande traversée. Si tu perds courage maintenant, imagine quand il sera de l'autre bord. Il a besoin de ton support, lui, il faut être forte. C'est ça, la guerre! C'est dur, mais c'est comme ça.

— Oui, vous avez raison, papa… je ne suis pas raisonnable. Mais c'est si difficile de le voir partir.

— Allons, allons, fille, laisse les choses passer. La vie est plus forte que nous, on verra bien ce que l'avenir nous réserve. On l'ignore pour le moment, mais le plus beau est peut-être devant vous.

Après de longues minutes à se frayer un passage dans le corridor étroit et encombré, Gabriel put enfin s'asseoir avec son frère, qui lui avait gardé une place près de la fenêtre. Tous les compartiments étaient bondés de soldats, bruyants et pleins d'énergie. Seuls une poignée de civils qui se tenaient cois étaient montés à bord. Gabriel, malgré le tumulte et l'agitation, demeurait pensif. Un léger sourire aux lèvres, il pensait à Camille. Il avait encore, serré dans sa main, le pendentif qu'elle lui avait donné. Pendant que son frère et deux autres soldats jouaient une partie de cartes, il regardait dehors mais voyait à peine le paysage qui défilait sous la lumière grise de cette journée pluvieuse. Secrètement, il se fit alors la promesse qu'une fois la guerre terminée, jamais plus il ne partirait en laissant Camille derrière.

Robertville, 1943

Après le départ de Gabriel, on aurait dit que, en un éclat, d'un coup sec, l'été de 1943 prenait toute la place qui lui revenait. Le soleil raviva la population des villes et villages, trop longtemps restée engourdie par la saison froide. Des semaines entières, le beau temps n'était interrompu que par de brèves averses qui arrivaient à point pour alimenter les récoltes et calmer l'ardeur des journées trop chaudes. À la mi-juillet, les gens se rendaient en masse à la mer toute proche pour s'y baigner. Camille et sa mère, sans auto, préféraient marcher jusqu'au petit ruisseau pour y trouver un peu de fraî-cheur. Installées sur un gros rocher, les pieds dans l'eau, elles mangeaient tranquillement le goûter qu'elles avaient préparé. Elles ne rentraient à la maison qu'au début de la soirée, une fois la température un peu plus raisonnable. Alors débutait le moment de la journée que Camille trouvait le plus long. Entre chien et loup, le temps semblait s'éterniser. Quand les derniers rayons de lumière hésitaient entre le jour et la nuit, Camille avait l'impression que tout s'arrêtait. C'était pendant ces quelques heures avant que la nuit n'avale le jour que l'absence de Gabriel lui était le plus difficile à supporter. Elle sentait le poids de l'ennui se poser sur elle comme la rosée qui recouvrait le jardin.

Parfois, pour tromper ce vague à l'âme, elle s'installait au salon, lisait les journaux que son père recevait de Montréal ou faisait jouer ses disques qu'elle et Gabriel avaient partagés avant son départ. Souvent, elle réécoutait cette plage de Rina Ketty pour laquelle Gabriel avait un faible.

J'attendrai

Le jour et la nuit, j'attendrai toujours

Ton retour

J'attendrai...

Mais si cela la rendait triste, d'un bond elle quittait le salon et montait dans sa chambre faire sa toilette pour la nuit. Lorsque le sommeil tardait à venir, Camille, allongée dans son lit, relisait les quelques lettres qui depuis le mois de juillet s'accumulaient lentement dans sa boîte à bijoux. Comme il l'avait promis, Gabriel lui écrivait. Ses billets dépassaient rarement un paragraphe en longueur. Concis et bref, il donnait de ses nouvelles, rassurait Camille sur sa santé et confirmait pour la centième fois combien il l'aimait et qu'une fois la guerre terminée, ils auraient enfin toute la vie devant eux. Malgré leur manque de style, l'absence de poésie et la pauvreté de l'écriture, Camille attendait chacun de ses mots comme si son dernier souffle en dépendait.

Pourtant, cet homme, elle le connaissait encore si peu.

Juillet 1943

Chère Camille,

Je suis bien, je pense à toi et je trouve souvent le temps long. Nous faisons beaucoup d'exercices et surtout de longues marches. J'aime les exercices de tir, mais courir avec tout l'équipement sur le dos est beaucoup moins drôle. Ici, les hommes sont de plus en plus nombreux. Il y en a de partout. Je n'ai plus le choix, je dois me débrouiller en anglais. Chaque jour, j'apprends un nouveau mot. On ne nous dit rien d'officiel, mais la rumeur veut que quelque chose se prépare pour bientôt. Parfois, on entend parler des officiers qui ont pris un verre de trop. Plusieurs des hommes que j'avais connus cet hiver sont déjà partis de l'autre bord. Moi, je n'ai reçu aucune nouvelle. Mon frère non plus. Je n'ai pas vraiment le goût d'y aller mais d'une façon, plus vite nous traverserons, plus vite nous pourrons enfin revenir à la maison.

Je t'embrasse et pense à toi.

Gabriel qui t'aime

À la fin du mois de septembre, en une seule nuit, une averse torrentielle accompagnée de vents forts vint achever ce qui restait de l'été. Plus on approchait de l'automne, plus intense était cette lumière grise et froide qui s'infiltrait tous les soirs dans l'horizon. Au village, les vacances terminées, la plupart des enfants avaient repris la route de l'école. Mais d'autres, jugés par leurs parents maintenant assez grands pour travailler, n'y retourneraient plus.

Louis-Joseph, sa tournée derrière lui, était rentré à la maison pour de bon. Déjà, il s'installait dans la routine de la saison froide. Pendent ce temps, Janine recevait des nouvelles inquiétantes de la grande ville. À Montréal, son père était de plus en plus malade. Entre les lignes, Louis-Joseph et Camille comprenaient que le vieil homme, de toute évidence, était mourant. Troublée par ces nouvelles, Janine ne savait plus si elle devait rester ou partir au chevet de son père. L'idée de le perdre la paralysait de chagrin, lui qui l'avait toujours supportée dans toutes ses décisions. Quand Louis-Joseph avait annoncé qu'ils quittaient la ville pour s'installer au Nouveau-Brunswick, c'est lui qui avait fini par convaincre son épouse de laisser partir le jeune couple. Avec diplomatie, il avait bien fait comprendre à son gendre que la seule condition qu'il posait était de savoir sa fille et sa petite-fille heureuses. Pour le reste, cela ne le concernait pas. Depuis le tout début, le vieil homme avait compris que la photographie, même si c'était un métier noble, pouvait difficilement faire vivre une femme et un enfant. Il savait qu'en s'isolant à l'intérieur d'une petite province, loin d'un grand centre, son gendre connaîtrait des périodes creuses. Plus d'une fois, lors de ses visites à Montréal, il avait remis à sa fille de grosses sommes d'argent pour s'assurer qu'ils ne manqueraient de rien. Louis-Joseph connaissait l'existence de cet argent mais n'en parlait jamais. Ils en avaient besoin. Il l'acceptait, convaincu que c'était le prix qu'il devait payer pour avoir arracher la fille et l'enfant à ses beaux-parents. Malgré tout cela, monsieur Fillion avait donné son consentement à tous les choix que Janine avait faits. C'était la plus jeune de ses filles, celle qu'il ne comprenait pas toujours mais qu'il adorait.

Depuis des semaines, elle vivait dans l'angoisse de le perdre. Les nouvelles étaient confuses. Un jour, ses sœurs l'informaient que leur père était au pire, le lendemain, qu'il avait repris du mieux et que les signes d'une rémission complète étaient plus que réels.

Bientôt elle n'aurait d'autre choix que de faire face à la vérité.

À la mi-octobre, Camille reçut une lettre de Gabriel.

Le 12 octobre 1943

Chère Camille,

Je serai à Robertville vendredi, le 25 octobre, pour neuf jours de permission. Enfin nous serons ensemble.

Gabriel qui t'aime et t'embrasse

Elle relut plusieurs fois ces quelques mots griffonnés sur ce bout de papier gris. Camille était folle de joie. Même si cela n'était que neuf jours, que ce n'était pas encore le grand retour, c'était merveilleux. Débordante de bonheur, elle courut du bureau de poste jusqu'à la maison pour annoncer la bonne nouvelle à son père et à sa mère.

Comme promis, Louis-Joseph se rendit à la gare de Bathurst en auto avec sa fille le vendredi suivant. Dès qu'elle aperçut Gabriel dans son uniforme militaire avec un épais manteau d'hiver qu'il avait laissé ouvert, elle s'approcha du wagon. Lui laissant à peine le temps de mettre pied à terre, elle lui sauta au cou en le serrant de toutes ses forces. «Rien n'a changé, rien!» se disait-elle, le serrant comme si c'était pour la dernière fois. Pendant des mois, elle avait rêvé de ce moment. Et de le voir là, devant elle, de le sentir dans ses bras, encore plus beau qu'avant son départ, la laissait sans mots. Elle ne voyait plus les gens qui allaient et venaient sur le quai, n'entendait plus le ronronnement du train qui, à peine arrêté, reprendrait aussitôt sa course. Il n'y avait plus que lui. Pendant quelques secondes, les yeux fermés, blottie contre son corps, le visage enfoui dans son épaule, secrètement, elle aurait voulu que ce moment dure pour toujours.

Un peu plus loin, à l'écart, Louis-Joseph attendait dans l'auto en regardant cette scène avec intérêt. En voyant sa fille habituellement si sûre d'elle-même, si réservée, soudainement exprimer si ouvertement et en public son affection pour un homme le surprit. Il se demanda alors si lui-même avait un jour connu pareille passion. Puis, en souriant, il se dit que poser la question était y répondre. Et pendant un court laps de temps, il l'envia. Il envia cet amour pourtant si jeune qui semblait déjà les unir pour la vie.

Si dans son excitation de revoir Gabriel, Camille avait imaginé le ravoir pour elle seule, elle dut rapidement se raviser. Dès le lendemain de son retour, Gabriel, sans la moindre hésitation, aidait aux travaux de la ferme. Tôt le matin jusqu'à l'heure du souper, il aidait son père qui, privé de ses deux plus vieux garçons, avait de la difficulté à faire tout l'ouvrage qu'exigeait une famille de dix enfants. Il s'occupa de fendre et de rentrer le bois de chauffage qui s'accumulait près de la remise, il répara le toit de la grange qui prenait l'eau et, avec l'aide de ses deux jeunes frères, François, quatorze ans, et Jean-Marie, quinze ans, il refit le petit pont de pierre qui avec le temps s'était affaissé sous le poids des bêtes qui, matin et soir, l'empruntaient pour se rendre au pâturage. Il fit tout ce qu'il lui était possible de faire en une semaine. Mais le soir venu, après s'être lavé, rasé et avoir mangé comme un ogre, Gabriel n'avait qu'une idée en tête, revoir Camille. Dès le souper terminé, malgré la noirceur, il sautait sur la bicyclette de son père et se rendait d'un trait au village. Les nuits étaient froides, mais la neige n'était pas encore tombée. Si les nuages laissaient échapper ici et là quelques malheureux flocons, ceux-ci disparaissaient aussitôt le sol touché.

Parce qu'ils se voyaient si peu, parce que ces temps de guerre chambardaient tout, même les conventions les plus élémentaires, Janine, avant que sa fille lui en fasse la demande, laissa entendre que Gabriel pourrait s'abstenir de la règle des bons soirs durant son séjour à Robertville. Pendant des mois, elle avait vu Camille attendre chacune des lettres de son soldat sans jamais se plaindre.

— Il ne sera ici que pour quelques jours, ce serait ridicule qu'il ne vienne pas à la maison, avait-elle dit à Louis-Joseph.

— Tu fais ce que tu veux, si tu penses que cela est raisonnable, moi je n'ai aucun problème avec ça.

— La vie est trop courte. Si elle l'aime, pourquoi la priver de quelques soirs de veillée? Il sait tenir sa place, ce jeune homme, je lui fais confiance.

Le dernier samedi avant son départ, pour la première fois les DuRepos invitèrent Gabriel à souper. Il se présenta en fin d'après-midi, vers quinze heures. Plus l'hiver resserrait son étreinte sur l'automne, plus la lumière du jour semblait pâle et délicate. Malgré tout, il faisait si beau à l'extérieur que Camille proposa d'aller s'asseoir sur les chaises du jardin. Pendant que sa mère s'affairait aux derniers préparatifs du souper, elle et Gabriel sortirent dehors. Emmitouflée dans son manteau d'hiver, Camille, pour rester au chaud, se blottit contre lui. Des terres agricoles éventrées par les grands labours d'automne émanait un parfum doux et sucré qui embaumait toute la région. Sans rien dire, serrés l'un contre l'autre, ils écoutaient le bruissement de quelques feuilles jaunies qui s'accrochaient désespérément aux branches du merisier. C'est Gabriel qui brisa le silence.

— Il y a quelques semaines, j'étais dans la salle d'attente de l'infirmerie. J'étais avec un officier qui...

— Tu étais blessé? interrompit Camille, relevant brusquement la tête qu'elle avait posée sur son épaule.

— Ce n'était rien, je m'étais coupé sur un genou en sautant d'un camion. On m'a obligé à faire vérifier cela à l'infirmerie. C'est la procédure. Une fois là-bas, j'ai fait la rencontre de cet officier, un sergent Douglas de Saint John. Nous avons parlé un peu, il comprenait le français, sa mère parlait français. D'une chose à l'autre, il m'a expliqué qu'après la guerre, plusieurs programmes seront disponibles pour permettre aux vétérans de réintégrer la vie civile.

— Quel genre de programme, Gabriel?

— Il n'y a rien d'officiel encore, mais l'armée pourrait donner un mois d'études payé pour chaque mois de service militaire.

— Tu veux retourner à l'école, toi? lui demanda-t-elle, curieuse.

— Oh oui! C'est la première chose que j'aimerais faire. Sinon, je risque de me retrouver dans les chantiers ou au moulin. Je ne veux plus mettre les pieds dans le bois, c'est trop dur et ça ne paye pas. Je pourrais compléter mes études, après je suivrais un cours de mécanique auto. Je suis bon avec les machines, tu sais. Au camp à Fredericton, j'ai réparé une Jeep presque sans outils. Mais mon vrai but, c'est d'avoir mon garage ici, à Robertville. L'officier, il m'a parlé d'un autre programme qui permet d'obtenir un prêt garanti par le gouvernement. Comme j'ai déjà mon terrain pour me construire, j'en achèterais un autre au village pour installer ma *business*. Qu'est-ce que tu dis de tout ça? Tu ris de moi, ou quoi?

Camille, qui le regardait du coin de l'œil, souriait.

— Si tu retournes à l'école, peut-être qu'ils t'apprendront à écrire des lettres un peu plus longues.

Il se retourna, l'air vexé.

— C'est une farce, Gabriel. Je les aime comme elles sont, tes lettres. Je disais ça pour te taquiner.

— Je sais, je sais, elles ne sont pas tellement longues, mes lettres. Mais avant de te connaître, j'en écrivais jamais. J'ai de la difficulté à trouver mes mots.

Regrettant un peu sa blague, Camille lui serra le bras et devint sérieuse.

— Gabriel, même si tu m'envoyais une feuille toute blanche avec juste ton nom écrit au beau milieu, ça me rendrait heureuse. Et de toute façon, après cette guerre, chez nous, tu n'auras plus besoin d'écrire de lettres. Je ne te laisserai plus partir, ça je te le promets.

Puis, jetant furtivement un coup d'œil sur la maison pour s'assurer que ni son père ni sa mère n'étaient dans la fenêtre, elle l'embrassa tendrement.

Sans même le réaliser, Gabriel parlait probablement toujours de la guerre comme d'une formalité, d'un délai malencontreux, mais tout au plus temporaire. Camille, parce qu'elle aimait se laisser bercer par la musique de tous ces projets qu'ils faisaient ensemble, s'était mise à voir les choses comme lui. On aurait cru qu'entre eux un pacte non dit, non prémédité, les forçait à taire et à oublier tous les dangers et toutes les horreurs d'un conflit armé. Ensemble, ils n'abordaient jamais la laideur de ce sujet. Ils préféraient ne voir que l'après, rêvant déjà au bonheur qui les attendait. C'est le respect de ce pacte qui faisait que chacune des visites de Gabriel n'était pas attristée ou assombrie par la réalité qui était tout autour. Mais bientôt, comme pour des millions de victimes qu'elle faisait depuis trois ans, l'horreur de la guerre les rattraperait.

Ces neuf jours de permission si longuement attendus, en un souffle, comme de la fumée au grand vent, s'étaient envolés. Gabriel devait déjà repartir. Camille et son père l'avaient reconduit à la gare. Sous une faible neige qui tombait avec lenteur, la foule peu nombreuse attendait dans le froid. Au dernier moment, Gabriel confia à Camille, qui l'accompagnait jusqu'à son wagon, qu'ils ne se reverraient qu'après les Fêtes. Quand exactement, il n'en avait aucune idée. En lui serrant les mains, Camille le fixait droit dans les yeux comme pour ne rien manquer, ne rien perdre. Elle dit alors :

— Gabriel, j'attendrai ! Si de ton côté, tu peux attendre quelques mois, je peux en faire autant. Il ouvrit la bouche pour parler, mais d'un signe de la tête, elle lui fit comprendre qu'elle n'avait pas terminé.

— Je veux que tu me promettes une chose.

Elle baissa les yeux puis reprit :

— Une seule chose Gabriel, si tu rencontres quelqu'un, si une autre femme entre dans ta vie, laisse-le-moi savoir. T'attendre ici pendant des mois en sachant que tu m'aimes, je peux l'endurer. Mais si ton amour pour moi s'est évanoui, ne me laisse pas sans nouvelles, je t'en prie.

Gabriel ne l'avait jamais vue si sincère. Il en était profondément ému.

— Camille ! Comment veux-tu que je regarde ailleurs ? Tous les jours, je bénis le ciel en pensant à la chance que j'ai de connaître quelqu'un comme toi. Tous les hommes qui sont au camp, lorsqu'ils me parlent de leur femme ou de leur fiancée, aucun d'eux ne vit ce que je vis. Aucun ! Ça, j'en ai la certitude. Ils sont peut-être amoureux, ils sont sûrement heureux mais dans leurs yeux, Camille, je ne vois jamais ce que je vois dans les tiens. Jamais ! Alors, oublie ça ! Moi, tout ce que je veux, mon seul désir, c'est que cette guerre se termine au plus vite pour qu'enfin nous puissions avoir une vie ensemble. Le reste, les autres femmes, je m'en fous complètement.

Ils s'enlacèrent un long moment sans rien dire, puis un coup de sifflet les sépara. Gabriel ramassa son sac de toile verte et monta à bord du wagon avec les derniers passagers. Longtemps, Camille demeura debout sur le quai à regarder le train qui, en s'éloignant, faisait tourbillonner derrière lui les flocons de neige avalés par son passage.

Quelques jours après le départ de Gabriel, l'hiver, parce qu'il s'était trop longtemps retenu, s'abattit en une nuit avec force et violence. Comme une avalanche dont on connaît l'existence, mais dont on ignore l'ampleur, sans relâche d'abondantes chutes de neige recouvrirent toute la région. De jour en jour, on voyait les arbres ployer les reins sous le poids des accumulations. Lentement, une à une, les maisons du village s'enlisaient sous les bordées. En décembre, une grosse tempête paralysa toutes les Provinces maritimes et une partie du Québec. Pendant ce temps mort, Camille se réfugiait de longues heures dans la boutique de son père. Assise seule devant la grande fenêtre, près du petit poêle de faïence, elle lisait. Parfois interrompue par un souvenir qui surgissait dans son esprit, elle s'arrêtait et regardait dehors sans rien dire. Sauf pour le vent qui de temps à autre émettait un faible hurlement, l'intérieur de la boutique était plongé dans un profond silence. C'était pour cette raison qu'elle aimait s'y installer. Camille y trouvait le calme dont elle avait besoin.

Le temps des Fêtes fut tranquille pour la famille DuRepos. Janine, qui ne recevait plus que de mauvaises nouvelles de l'état de santé de son père, n'était plus la même. Elle le réalisait maintenant, son père se mourait. Il ne lui restait tout au plus que quelques mois à vivre. Ses sœurs ne cachaient plus rien et lui suggéraient de se préparer au pire. Après Noël, le nouvel an fut accueilli sobrement, en famille. Comme à son habitude, Louis-Joseph servit à son épouse et à sa fille le traditionnel verre de vin blanc au petit salon. Sur le dernier coup de minuit de la grosse horloge du corridor, en levant son verre il fit ce souhait:

— Bonne et heureuse année! Espérons que 1944 sera une belle année et que malgré les obstacles et les embûches qu'elle nous réserve, nous pourrons trouver le sens et le bonheur qui se cachent derrière ces épreuves.

Lançant un clin d'œil à Camille, il ajouta:

— Et prions pour que cette guerre prenne fin et que la paix revienne sur terre.

Dans les premiers jours du mois d'avril de 1944, Fernande, la plus vieille des sœurs Fillion, téléphona de Montréal. Calmement, mais d'une voix ferme et sans détour, elle mit sa plus jeune sœur devant les faits.

— Janine, si tu veux voir papa vivant, tu dois venir le plus vite possible. Sinon, il sera trop tard. Papa n'en a plus pour longtemps, c'est une question de jours.

Janine, confrontée à l'ultimatum de sa sœur, fondit en larmes. Depuis des mois, elle qui adorait son père remettait ce voyage comme si c'était la mort elle-même qu'elle voulait repousser. Mais cette fois, elle comprit. Deux jours plus tard, elle et Louis-Joseph prirent le train pour Montréal. Comme ils ignoraient combien de temps ils seraient partis, Camille resterait derrière pour s'occuper de la boutique. Déjà des commandes arrivaient d'un peu partout. Méthodiquement, elle s'occuperait de fixer les rendez-vous tout en respectant l'itinéraire des tournées de son père. Elle retournait par courrier toutes les demandes des clients, en inscrivant à l'endos des cartes d'affaires la date et l'heure à laquelle son père se présenterait pour prendre les photographies. Camille avait du chagrin pour sa mère, mais la mort de son grand-père la touchait peu. Petite, elle se souvenait de sa barbichette blanche et de son sourire affable. Elle avait quitté Montréal si jeune que, avec le temps, l'attachement pour ses grands-parents qu'elle ne visitait qu'une ou deux fois l'an n'était plus que courtoisie et politesse.

En plus du travail à la boutique, une autre raison l'avait motivée à ne pas accompagner ses parents. Le même jour où sa mère avait reçu le téléphone fatidique, une lettre l'attendait au bureau de poste. Gabriel l'informait en deux mots que lui et son frère avaient une permission de deux jours et qu'ils étaient en route pour Robertville. Sans raison officielle, l'armée avait donné une permission de quarante-huit heures à la presque totalité des soldats. Même si l'on n'avait dévoilé que peu de détails, plusieurs se doutaient que derrière cette soudaine générosité se cachaient de mauvaises nouvelles. Le front était probablement tout près. Cette offensive si longuement préparée était enfin prête. Les hommes avaient reçu la consigne de ne rien dire à leur famille. Tous craignaient le pire, maintenant. Camille ignorait les raisons de la permission. Depuis cinq mois, cinq mois interminables, elle attendait ce retour. Jamais elle n'aurait pu supporter de prolonger cette absence. Devant le bouleversement de sa mère, pour éviter qu'on ne fasse d'autres arrangements, elle ne mentionna rien de la visite de Gabriel à ses parents.

Quand les frères Cormier débarquèrent à la gare de Bathurst, les parents de Camille étaient déjà partis pour Montréal. Le soir même de son retour, Gabriel sauta sur la bicyclette de son père pour se rendre à Robertville. Même la route défoncée et rendue boueuse par la fonte des neiges et les profondes ornières laissées par les charrettes, rien n'arrivait à diminuer sa joie de revoir Camille. Lorsqu'il frappa à la porte de la boutique, Camille se présenta devant lui dans une belle robe légère qu'elle réservait habituellement pour les beaux jours d'été. Après qu'ils se furent embrassés et enlacés tendrement, elle le prit par la main et l'entraîna dans le petit salon. Elle le mit alors au courant de l'absence de ses parents et des circonstances de leur départ précipité.

— Et ton grand-père... il est...

Gabriel ne termina pas sa phrase.

— Non! pas encore. Maman téléphone tous les matins pour m'informer. Quand c'est papa qui appelle, c'est parce qu'elle n'a plus la force de le faire.

— Tu l'as bien connu, ton grand-père?

— Toute petite, oui, mais après le déménagement, j'ai perdu contact. Quand j'étais au couvent, souvent ils m'invitaient à souper le dimanche. Ce sont de très bonnes personnes, mes grands-parents. Mais parfois j'avais l'impression qu'ils me voyaient encore comme une toute petite fille. C'est curieux, quand même.

— Oui, c'est souvent comme ça avec les personnes âgées.

Même s'ils s'étaient retrouvés seuls dans la maison vide, la première visite de Gabriel ne fut en rien différente des précédentes. Ils restèrent une grande partie de la soirée au salon à écouter des disques de chansons françaises et à parler d'avenir. Gabriel raconta dans les moindres détails les exercices militaires que chaque jour il répétait depuis des mois. Camille ne se lassait jamais de ses histoires.

Plus tard, elle lut à voix haute quelques-uns de ses poèmes favoris. Gabriel, silencieux, l'avait écoutée poliment, amusé. Il avait du mal à comprendre comment quelques mots rassemblés à l'intérieur de petites phrases qui n'avaient à première vue aucun sens pouvaient susciter autant d'émerveillement. Même s'il n'y entendait rien, écouter la voix de Camille était un pur ravissement. Pour cette raison, il aurait acquiescé à toutes ses demandes.

Vers vingt-deux heures, bien malgré lui, Gabriel signifia qu'il était temps pour lui de rentrer. Avant qu'il ne reprenne la route, elle glissa dans la poche de son épais manteau d'hiver deux carrés de sucre à la crème qu'elle avait soigneusement enveloppés d'un papier ciré.

— Le sucre, ça te donnera l'énergie pour monter la grande côte, lui avait-elle murmuré à l'oreille avant de l'embrasser.

Le lendemain soir, en dépit du temps gris et de l'orage qui menaçait, Gabriel était revenu veiller. À dix-huit heures pile, il se présenta chez les DuRepos, poussant à ses côtés sa bicyclette couverte de boue qu'il s'empressa d'accoter contre le perron. Mais ce rendez-vous, Gabriel et Camille l'ignoraient encore, ne serait pas comme les autres.

Ils s'étaient à peine installés au salon que dehors, la pluie se mit à tomber avec force.

— Tiens! Il pleut, remarqua Camille en écartant légèrement les rideaux de la grande fenêtre.

— Oui, je sais, quand j'ai quitté la maison, ça tombait déjà.

— Pas assez pour te faire faire demi-tour, ajouta Camille en s'assoyant tout près de lui.

— Non! Ce n'était pas quelques gouttes de pluie qui m'auraient arrêté de venir te voir. Surtout que demain, on doit repartir pour le camp.

Rappelée à la réalité de cette visite trop courte, Camille perdit son sourire. Puis, voulant chasser cette pensée de son esprit, elle l'embrassa. Mais la veillée fut étrange. Alors qu'hier ils avaient tant de choses à se dire qu'une journée entière n'aurait pas suffi à les faire taire, le lendemain la source semblait s'être tarie. Ils parlaient peu, laissant s'infiltrer entre chacune des interruptions de longs silences qui les rendaient nerveux. Pendant ce temps, dehors, ce qui n'avait semblé qu'une simple averse de fin d'hiver se transformait lentement en un orage. Curieusement, plus le temps se déchaînait, plus il leur était difficile d'ignorer cette tension qui ne cessait de monter en eux. À l'heure où, habituellement, Gabriel se serait apprêté à partir, Camille voulut se lever machinalement pour écouter l'autre face d'un soixante-dix-huit tours de Tino Rossi. Au même moment, Gabriel lui serra le bras pour la retenir. Sous la force de son emprise, elle s'immobilisa.

— Tu ne veux plus de musique?

— ...

Il la regardait sans rien dire.

— Gabriel... Pourquoi me regardes-tu comme ça? Dis quelque chose.

Silencieux, il l'attira vers lui. En un éclair, cette barrière qui doit retenir les élans d'un homme pour une femme céda sous la violence de leur désir. Camille, jusqu'au tout dernier moment, s'était crue capable de refouler ce besoin qui lui brûlait le ventre. Mais tout son être était désormais traversé d'une chaleur insupportable. Étourdie à son tour par l'ivresse du moment, ses forces se brisèrent. Elle se laissa emporter. Elle l'embrassa d'abord avec passion sur la bouche, puis comme un animal dévorant sa proie, elle descendit dans son cou avant d'écarter violemment cet uniforme au tissu rugueux qui emprisonnait ses épaules. Au contact de ses lèvres sur sa chair nue et chaude, incapable de s'arrêter, elle en voulut davantage. Plus elle découvrait son corps, plus elle se sentait happée par ces vagues de volupté sans retour. Ils n'obéissaient plus qu'à cette fièvre des sens. Gabriel, d'un geste lent de sa main, remontait le bas de sa robe sur ses cuisses. Camille l'arrêta.

— Viens... viens, montons dans ma chambre, lui murmura-t-elle à l'oreille.

Sans dire un mot, il la suivit. Dans la chambre éclairée d'une faible lumière, ils se dévêtirent, debout l'un en face de l'autre. Un à un, leurs vêtements tombèrent sur le plancher comme les voiles fatiguées d'un bateau ayant enfin trouvé un port où accoster. Doucement, ils s'allongèrent sur le lit où leurs corps s'épousèrent tout naturellement. Enveloppés du doute de ne pas savoir comment faire, ils mesuraient le moindre de leurs gestes. Mais la tendresse qu'ils manifestaient l'un pour l'autre comblerait leur manque d'expérience. Elle sentait son corps tout blême et menu se perdre dans le sien, ferme et musclé. Ils étaient entrelacés l'un dans l'autre, et elle tremblait de bonheur. Les yeux fermés, la bouche à peine entrouverte, elle se livrait à cette force brute qui la déchirait comme un fruit mûr. Ses mains plongées dans les cheveux de Gabriel, elle suivait la route qu'improvisait sa tête, qui glissait sur son corps arqué de jouissances. Lorsque son sexe se mit à fouiller le sien, elle eut mal mais ne put l'empêcher de continuer. Écartelée, elle ignorait la douleur, préférant caresser son corps qui luisait de transpiration. Puis dans un cri, au centre de ce mal qui fait du bien, au bord de l'agonie, leurs corps se fondirent l'un dans l'autre. Comme si la vie s'était momentanément suspendue et fixée dans le temps, soudés l'un à l'autre, brisés par la jouissance, ils ne bougeaient plus. Seul le rythme saccadé de leur respiration trahissait la mort. À deux reprises pendant cette première nuit ensemble, ils firent l'amour.

Épuisé, ne pouvant plus repousser le sommeil, Gabriel s'endormit avec elle. Dehors, la pluie de ce printemps frileux lavait par grandes bourrasques les bancs de neige dont l'hiver avait peine à se défaire. Elle et lui, dans leur union secrète depuis une éternité, avaient oublié l'orage, oublié le temps. Mais la vie, elle, malgré tout, avait continué. En échange de tous les trésors du monde, ils seraient restés blottis là, l'un contre l'autre, ne voulant plus jamais quitter les rives de ce nouveau monde.

Le lendemain matin, Camille, qui se sentait observée, ouvrit les yeux. Le visage alourdi de sommeil, elle se tourna lentement vers Gabriel, qui la regardait en silence. Elle lui demanda :

— Tu ne dors pas ?

— Non... je préfère te regarder.

— Oh non ! Pas le matin... je suis laide, le matin ! Dors, Gabriel, dors encore un peu.

— Tu n'es jamais laide, ni le jour, ni la nuit, ni le matin.

Camille ferma les yeux tout en souriant.

Couché sur le dos, les yeux ouverts, Gabriel regardait la lumière du jour qui s'infiltrait dans la chambre. Les mains derrière la tête, il repensa aux baisers de Camille. Ces baisers sauvages et inassouvis de la veille, qui l'avaient chaviré.

Revoyant ces images, il eut envie de la reprendre, mais elle sommeillait déjà. Poussant doucement sa main sur son ventre nu, il lui murmura à l'oreille :

— Camille... Camille... je dois partir avant que quelqu'un remarque ma bicyclette dehors.

Lorsque Camille se réveillerait, Gabriel serait parti depuis longtemps.

La pluie avait cessé. Sur la route, Gabriel rencontra le vieux Dosithé, qui connaissait bien la famille Cormier. Du haut de son *buggy*, le vieillard cria de sa bouche édentée :

— Les chemins sont plus *drivable*. Ça va nous prendre un été *betôt* pour sécher tout ça.

Sans rien dire, Gabriel le salua poliment d'un geste de la main. Il vit également des enfants qui, par petites grappes, se rendaient à l'école, les plus vieux tenant les plus jeunes par la main. Comme lui, ils avançaient avec peine sur l'étroit chemin de neige boueuse. Le temps était gris et froid. Pendant qu'un vent triste s'élançait du champ immense et vide de récoltes, les nuages qui filaient à grande vitesse laissaient peu de chance au soleil de percer. Poussant sa bicyclette sans entrain, il finit par monter la grande côte qui le mènerait chez lui. Mais en apercevant la maison de ses parents, pour une raison qu'il ne pouvait comprendre, il sentit un grand vide l'envahir. Soudainement paralysé, il s'arrêta. Lui qui habituellement débordait toujours d'optimisme, ne voyait plus d'avenir. Devant lui un gouffre, un trou noir le fit trembler de peur. À la fin de cette journée, avec son frère, il reprendrait le train pour le camp militaire. Cette pensée ne fit qu'achever le peu de courage qu'il lui restait. Il se demandait quand il pourrait enfin rentrer au village et ne plus quitter Camille. Quand ? Cette question lui bourdonnait dans la tête comme un cri. Il ne voulait plus partir mais savait qu'il n'avait d'autre choix. Et secrètement, cette guerre que chaque jour il sentait s'approcher l'angoissait de plus en plus. Pourquoi les choses étaient-elles si compliquées ? Sans forces, flagellé par les bourrasques de vent, il releva la tête et se remit à marcher. Il ne pouvait plus faire demi-tour, la vie en avait décidé autrement, il en était ainsi.

Camille, après avoir fait du feu dans le poêle, s'était fait bouillir de l'eau. Elle sortait de son bain lorsqu'elle reçut l'appel de son père. Figée, elle fixa le téléphone pendant quelques secondes avant de répondre.

— J'ai de mauvaises nouvelles, fille... Ton grand-père est décédé cette nuit dans son sommeil. Le docteur qui est passé ce matin dit qu'il n'a pas souffert.

Muette, elle porta une main à sa bouche.

— C'est pour le mieux, Camille. À la fin, il était tellement malade qu'il pouvait à peine nous regarder dans les yeux.

Assaillie de part et d'autre par une foule de sentiments contraires, qui se bousculaient en elle, ne pouvant plus se retenir, elle se mit à pleurer. Le plus triste, le plus insupportable, ce n'était pas la mort de son grand-père, mais cette image de Gabriel qui tôt ce matin s'éloignait seul avec sa bicyclette dans le village encore endormi. C'était cela qui la tuait. Ce soir il partirait, sans même pouvoir lui dire quand il reviendrait. C'était injuste et cruel. Cette pensée la rendit si amère qu'elle aurait crié. Se ressaisissant, elle demanda d'une voix tremblante :

— Et maman, comment est maman ?

— Fatiguée, très fatiguée. Elle et ses sœurs sont restées au chevet de ton grand-père toute la nuit. Elle est couchée pour le moment, elle n'en pouvait plus.

Il continua :

— Ça va, Camille ? Tu pleures ? Tu ne dis plus rien. Tout est normal à la maison, au moins ? Tu n'as pas de problèmes ?

En entendant cette question, elle fut secouée d'un grand frisson.

— Non! Non! Tout est normal ici, rien n'a changé. Je suis triste pour grand-père, c'est tout.

— Je sais, c'est difficile, mais pense à maman, fille, il faut être forte.

Camille n'arrivait plus à se contrôler, elle ne savait plus quoi dire.

— Écoute, la réception est très mauvaise, je t'entends à peine. Je raccroche! Nous serons de retour dans une semaine.

— Au revoir, et embrasse maman pour moi.

Raccrochant le combiné à son tour, Camille s'assit à la table de la cuisine, le visage ravagé par les sanglots. Comment, après quelques heures d'un bonheur si intense, les choses pouvaient-elles être aussi laides? se demanda-t-elle en écrasant dans sa main un mouchoir de soie humide. Et pour la première fois de sa vie, elle se sentit tellement seule qu'elle en avait mal. L'absence de Gabriel, comme une blessure, la laissait sans forces, sans but, perdue. Pendant un long moment, elle était restée là dans son peignoir, les cheveux encore mouillés, cherchant désespérément à trouver un sens à tout ce qui lui arrivait. Puis lentement, elle s'était levée, avait fait sa toilette, avait mangé et s'était rendue dans le studio. La vie, même incompréhensible, continuait.

Halifax 1944

Le 10 avril 1944, Gabriel et Paul Cormier, avec des centaines de soldats de partout au Nouveau-Brunswick, furent transférés par train à Halifax. Et cette rumeur qui persistait leur avait finalement été confirmée. Au lendemain de leur arrivée, ils s'embarquaient à bord de l'Amsterdam, accosté au port de Halifax depuis une semaine. À l'aube d'un 11 avril frisquet et brumeux, neuf mille soldats, neuf mille hommes, comme des colonnes d'insectes disciplinés, se mirent à monter les rampes étroites et abruptes du navire pour s'engouffrer dans les profondeurs de ses cales. Réquisitionné par l'armée canadienne, le transporteur fut transformé en un dortoir géant. Comme pour la grande majorité de ces hommes, Gabriel et Paul s'apprêtaient à traverser l'océan Atlantique pour la première fois de leur vie. Pendant que, sur le quai, une fanfare militaire reprenait sans cesse les mêmes morceaux pour raviver le moral des troupes et aiguiser le patriotisme de la foule, peu avaient le cœur à la fête. Aux abords du bateau, des milliers de personnes s'étaient massées pour accompagner les soldats. Partout on voyait des mères, des sœurs, des fiancées et des épouses tenant dans leurs bras de jeunes enfants qui, larme à l'œil, criaient leurs adieux à un être cher. Beaucoup des hommes assemblés ce matin-là, trop jeunes ou trop âgés pour faire partie du voyage, avaient du mal à cacher l'émotion qui leur tenaillait le cœur.

Aucun membre de la famille des frères Cormier n'était sur le quai. Halifax était trop loin, jamais ils n'auraient pu se permettre une telle dépense. D'ailleurs, presque tous les hommes du régiment North Shore qui quittèrent le pays ce jour-là étaient seuls, sans le support de leur famille.

Une fois montés à bord, les consignes étaient claires. Une partie des neuf mille hommes pourraient demeurer sur le pont jusqu'au départ. Les autres, pour des raisons de sécurité, devaient trouver les quartiers qu'on leur avait assignés et s'installer. Gabriel et Paul n'eurent pas la chance de rester dehors. À peine les rampes escaladées, un officier au visage carré, à la voix courroucée et aux yeux exorbités criait les noms et matricules en indiquant à quel niveau les soldats devaient descendre. Si quelqu'un avait le malheur d'avoir mal compris où il devait se rendre et qu'il faisait répéter l'officier, ce dernier le lui faisait payer chèrement. Il ne montrait aucune patience pour les retardataires.

— *Come on! Come on! Move it! Move it! Stop talking like little girls and keep the line moving. We don't have the whole week.*

À bord du bateau, les frères Cormier furent séparés. Pendant toute la traversée, ils ne se reverraient qu'à deux occasions, par hasard, sur le pont. Lorsque Gabriel trouva l'endroit où il dormirait pour les prochains jours, plusieurs centaines de soldats s'étaient installés dans les hamacs et couchettes qui s'empilaient jusqu'à trois et quatre de hauteur. Les hommes, avec difficulté, tentaient de ranger leurs équipements de manière à se garder un peu de place pour bouger. Ils pendaient au bout de leurs lits les manteaux, fusils, casques d'acier, sacs à dos et toutes les pièces d'équipement qu'ils devaient charrier avec eux. Mais l'espace y était si exigu qu'au moindre déplacement, on accrochait quelque chose qui allait aussitôt s'écraser sur le plancher d'acier. N'ayant d'autre choix, plusieurs s'allongèrent sur leur couchette même si dehors il faisait encore jour. Gabriel fit comme les autres. Avec quelque peine, il se hissa sur un hamac laissé libre. Juché au-dessus des deux autres, il accrocha son équipement en bandoulière sur un tuyau de métal qui sortait du plafond. S'il avait hérité du pire des trois hamacs, Gabriel avait au moins la chance d'avoir accès à un petit hublot. Au travers de l'épaisse vitre ronde et sale, il voyait les nuages qui, de temps à autre, laissaient passer un rayon de soleil. Quelques goélands virevoltaient également en silence.

Ce qui servait de dortoir, cette grande salle caverneuse, s'emplissait de voix, de cris et de rires qui provenaient de toutes les directions en même temps. Constamment, on entendait des pièces d'équipement s'entrechoquer les unes contre les autres, des casques et des fusils mal attachés tomber avec fracas sur le plancher encombré. L'écho de tout ce bruit, mélangé aux hurlements des officiers qui tentaient de structurer le chaos, devint vite insupportable. Gabriel, soudainement très las, s'étendit sur son hamac et ferma les yeux. Il sentit une grande fatigue peser sur lui. Pendant quelques secondes, désorienté, il n'arrivait même plus à se rappeler pour quelle raison il se trouvait au fond de ce navire, parmi tous ces hommes qu'on ne cessait d'entasser. Les yeux clos, il se coupa de toute l'agitation. Si on avait crié son nom à ce moment-là, jamais il n'aurait pu bouger, ne fût-ce qu'un doigt.

En fin de journée, une fois tous les hommes montés à bord, on remonta les rampes et les amarres géantes attachées aux taquets de fonte. Alors que la fanfare militaire jouait ses derniers morceaux et que la foule désœuvrée, encore nombreuse, criait ses adieux, quelque part sur le pont supérieur, le capitaine donnait l'ordre de partir. Dans un mouvement à peine perceptible, l'Amsterdam, aidé par des remorqueurs, parvint à s'arracher du port de Halifax. Le mastodonte d'acier, plein de ses neuf mille âmes, prenait lentement sa route vers l'Angleterre. Lorsque les hélices géantes se mirent à trancher la mer, tout le navire fut secoué d'une longue et sinistre vibration. Tout tremblait, et de toutes parts fusaient des craquements qui inquiétèrent les plus nerveux. Dans ces premiers instants, plusieurs n'ayant aucune expérience de ces bateaux crurent que la besogne était trop grande, que l'effort demandé au vieil Amsterdam était déraisonnable. Gabriel, qui avait repris quelque peu ses esprits, était de ceux qui croyaient secrètement que le voyage avorterait.

«Quelqu'un s'est peut-être trompé, pensa-t-il. On a sans doute surestimé les capacités du bateau. Il faudra remettre le voyage, diminuer le nombre de soldats. Oui, c'est ça, remettre le voyage de quelques jours. C'est impossible de partir aussi nombreux, on étouffe ici. Ils vont sûrement faire demi-tour et demander de l'aide d'un autre bateau... c'est sûr... on ne décollera jamais comme ça.»

Mais pendant que Gabriel se berçait d'illusions, l'Amsterdam s'éloignait lentement des côtes canadiennes. Et même si peu le réalisaient encore, il prenait continuellement de la vitesse. Tranquillement, ces vibrations qui provenaient de la chambre des moteurs prirent un rythme de plus en plus régulier. Lorsque Gabriel eut la force d'ouvrir les yeux, il vit par le hublot que Halifax n'était déjà plus atteignable à la nage. La fanfare s'était tue, il n'y avait plus qu'une poignée des milliers de familles rassemblées sur le quai qui s'accrochaient jusqu'au dernier moment. La foule s'était décimée. Gabriel comprit alors qu'on ne ferait pas demi-tour, qu'il le veuille ou non, dans quelques jours. Comme des milliers d'autres avant lui, il irait grossir le nombre de troupes alliées qui préparaient l'ultime invasion.

Quand la terre ferme ne fut plus à l'horizon qu'une mince lisière de couleur foncée, on vit apparaître, bien haut au-dessus de l'Amtersdam, deux gros avions militaires. Côte à côte, les bombardiers au ronronnement perçant avançaient lentement dans le ciel rougi par le soir tombant. Et de nulle part, trois frégates et un destroyer s'accrochaient aux flancs du navire. L'escorte ne ferait pas le voyage jusqu'en Angleterre, mais elle devait s'assurer que l'Amsterdam ait bien amorcé son périple dans l'océan Atlantique avant de le laisser sans défense, parce que si les supérieurs avaient caché cela aux hommes, des centaines de navires alliés et leurs équipages avaient, depuis le début de la guerre, été coulés avant même d'avoir touché le sol anglais. Pour éviter la catastrophe, le voyage qui normalement aurait duré tout au plus six jours s'étalait sur onze jours et onze nuits. Et pour déjouer les torpilleurs ennemis, la traversée Halifax-Liverpool se faisait en empruntant un trajet fait de longs et lents zigzags.

Le soir, Gabriel dut attendre plus de deux heures pour souper. Vers 20 h 15, ce fut son tour de manger. Et comme les autres, il réalisait que toute activité sur l'Amsterdam se traduirait par une ligne d'attente. Partout sur le navire, des filées d'hommes se formaient et attendaient quelque chose. On attendait aux toilettes, pour les douches, pour les repas, pour voir le médecin, pour monter sur le pont prendre un peu d'air frais ; rien ne pouvait se faire rapidement. Les hommes étaient simplement trop nombreux et le bateau trop petit. La patience était le mot d'ordre général. Afin de désengorger les cuisines, on ne servirait que deux repas par jour. Après avoir passé dix minutes sur le pont et avoir goûté à l'air de la mer, Gabriel et le groupe de soldats dont il faisait partie durent retourner se terrer dans la cale pour laisser leur place à ceux qui attendaient. Machinalement, ils suivaient les instructions que les officiers criaient en anglais. S'ils ne comprenaient pas toujours, ils n'avaient qu'à suivre les autres. Tous obéissaient aux mêmes directives et répétaient les mêmes gestes. Cette première nuit passée sur la mer, Gabriel en garderait peu de souvenirs. La fatigue mentale qui s'accrocha à lui dès qu'il fut monté à bord l'assommait de sommeil. Quelques minutes avant qu'on coupe l'éclairage jaunâtre, un officier, après avoir exigé le silence, expliqua la marche à suivre en cas d'alerte. Tous devaient sortir au pas de course et monter sur le pont supérieur en laissant derrière eux leur équipement militaire. Dehors, des gilets de sauvetage leur seraient distribués. Après, ils devraient attendre les ordres. Avant de partir, sur un ton qu'il voulait menaçant, l'officier rappela aux hommes qu'il était strictement interdit de circuler à l'intérieur du navire sans raison valable après qu'on eut éteint les lumières pour la nuit.

— I am warning you one more time, no walking around for any reason during the night. Those being caught will be severely reprimanded. You are to remain in the dormitory until wake-up call. Now good night, men!

Dix minutes plus tard, il ne restait plus que deux petites lumières bleues, fixées au-dessus des portes de sortie. Malgré cette noirceur, longtemps après que l'officier eut donné l'ordre de se coucher, les hommes continuèrent de discuter entre eux. Et ces voix, ces chuchotements, ces ricanements, ces toussotements, ces ronflements et ces murmures faisaient penser à des bêtes infatigables rampant sur tous les planchers de tous les niveaux de l'Amsterdam. Les onze nuits que prendrait la traversée seraient toutes semblables. Personne ne s'y habituait. À peine débarrassé de son uniforme, Gabriel s'allongea sur son hamac. Le bruit ambiant ne l'atteignait plus, il était trop fatigué pour rester debout et discuter avec les hommes qui l'entouraient et, en un rien de temps, il trouva le sommeil. Deux pensées lui revinrent avant la fin de la nuit : il se demanda où était son frère et ce que pouvait bien penser Camille, seule dans son lit.

Vers 5 h 30, on sonna la cloche du réveil. Dès que l'on alluma les lumières, une agitation collective et bruyante s'empara des hommes qui sortaient de leur première nuit passée en mer. Les instructions étaient de se laver et de se raser avant d'aller faire la queue pour déjeuner. Aussitôt levé, on se poussait et on se disputait pour avoir une place dans les toilettes, d'où s'échappait une puanteur d'urine et de défécation. L'odeur nauséabonde ne se dissiperait qu'au milieu de l'avant-midi. Plutôt que de se mêler à la cohue, Gabriel préféra rester allongé dans son hamac et attendre.

Lorsque le soleil se leva, le ciel était d'un bleu émeraude, sans nuages. Jamais Gabriel n'avait vu le ciel aussi beau, aussi pur. Les avions qui la veille les avaient escortés avaient disparu. De son hublot, il n'y avait plus de trace des deux destroyers. Ils étaient désormais seuls ; neuf mille hommes dans l'immensité de l'océan Atlantique. La mer berçait l'Amsterdam d'un roulis douceâtre, comme un jouet sans défense.

Transporter des hommes comme du bétail comportait des risques. Ce qui devait arriver se produisit dès le deuxième jour de la traversée. À l'heure du souper, dans une file d'attente, une bagarre éclata pour un rien, entre deux soldats qui avaient mis la main sur le même morceau de pain. Tous les jours, une escarmouche éclatait quelque part sur le navire. La police militaire ne faisait que courir d'un conflit à l'autre. Confronté à ces tensions, Gabriel, discret, se tenait tranquille. Cette fatigue qui, comme un épais brouillard, s'était si soudainement acharnée sur lui au début du voyage, avait fini par se dissiper. Jour après jour, il écoutait les ordres, suivait la routine sans rien dire en évitant toute situation qui aurait pu lui nuire. Il s'était même lié d'amitié avec un jeune soldat qui couchait dans le hamac sous le sien. Ronald Robichaud, un maigrelet aux gestes nerveux, était originaire de Neguac. Un soir, pendant que Gabriel nettoyait son fusil pour passer le temps, le jeune Robichaud lui confia à mi-voix que pour s'enrôler, il avait dû mentir sur son âge. Vingt et un mois plus tôt, alors qu'il n'avait que dix-sept ans, il avait convaincu le responsable du bureau de recrutement qu'il en avait dix-neuf.

— Nazaire Haché, Ti-Louis à Ben, Marcel Maillet et Claude Leblanc, nous avons tous menti sur notre âge. Mais nous avons été acceptés comme ça… pas de problème. C'était encore plus facile qu'on l'avait imaginé. Une piastre et vingt-cinq par jour, lavé, logé, habillé, je n'ai jamais fait autant d'argent de toute ma vie. On a même droit à des docteurs, des dentistes, ce n'est pas croyable tout l'argent qu'ils ont dans l'armée.

Tout souriant, allongé dans son hamac, les deux mains derrière la tête, les jambes croisées, on aurait dit l'homme le plus heureux du monde. Se dressant sur son séant, il demanda si Gabriel voulait bien lui donner une cigarette.

En laissant tomber le paquet sous lui, Gabriel posa une question :

— C'est ça que tu voulais ? Être dans ce bateau ? C'était l'image que tu avais de l'armée quand tu as signé tes papiers ?

Décontenancé, l'autre réfléchit un moment avant de répondre. Puis, sur un ton qui trahissait son incertitude, il finit par dire :

— Ben oui ! J'aime ça, l'armée. Une fois de l'autre bord, ça ne peut pas être pire qu'ici. Coincé au fond d'une cale comme ça, ce n'est pas normal, la vraie guerre c'est autre chose. En Europe, on va voir de l'action. Ce n'est pas pareil.

Après un court silence, il ajouta, presque impatient :

— Toi, Gabriel, toi qui ne dis jamais rien, es-tu content d'être ici ?

Avant de répondre, Gabriel accrocha son fusil frais nettoyé à l'extrémité de son hamac.

— Moi, tu sais, tant et aussi longtemps qu'on peut aller là-bas se battre et revenir d'un seul morceau, le reste je m'en fous. La guerre, ce n'est pas mon affaire.

Ronald s'était allongé sur son hamac sans rien dire.

Du moment que l'Amsterdam s'était éloigné du port de Halifax, tous les jours il arrivait qu'à bord, des hommes au cœur sensible souffrent du mal de mer. Si trois jours avant la fin de la traversée certains s'étaient moqués d'eux, ceux qui n'avaient pas le pied marin auraient leur revanche. Pendant dix heures interminables, ils subiraient les foudres d'une violente tempête. Le simple vacarme de ces lames géantes qui s'abattaient sur le pont fit trembler les plus courageux. L'assaut de la mer en furie était sans merci. Toute la nuit, par milliers, les hommes à l'estomac chaviré furent malades. Blêmes, à bout de forces, ils couraient se cacher dans les toilettes. Mais l'espace manquant, on se mit à vomir là où l'on pouvait ; dans les lavabos, les douches, les poubelles, des sacs… Certains utilisèrent même leur casque d'acier. En quelques heures, une puanteur omniprésente de vomissement traînait dans tous les recoins du navire. On laissa allumée la lumière du dortoir pour éviter que les hommes ne se blessent.

Plusieurs fois au cours de la nuit, Gabriel, haut perché dans son hamac, dut descendre et courir aux toilettes se vider le ventre. Quand le jour revint, quand la mer démontée redevint enfin navigable, par centaines ces hommes sans couleur, épuisés, se bousculèrent pour monter sur le pont. Tous ceux qui croyaient qu'ils ne sortiraient jamais vivants de la nuit d'enfer se précipitaient dehors pour sentir la fraîcheur des vents salés sur leur visage. Mais d'autres, plus durement éprouvés et incapables de bouger, furent retrouvés recroquevillés sur eux-mêmes, le visage encore crispé par la peur. En voyant ces hommes que l'on ramenait à l'infirmerie, Gabriel dit à Ronald, qui montait l'escalier devant lui :

— Il est temps qu'on sorte d'ici, sinon on va commencer à perdre des hommes avant même de mettre un pied en Angleterre.

— Oui, tu as raison, Gabriel. Moi, je le dis depuis le début, ce n'est pas normal un voyage comme ça, la vraie guerre c'est de l'autre bord. On ne pourra jamais gagner si tout le monde tombe malade. Si on peut sortir d'ici, ils ne me reverront plus monter dans une autre maudite boîte de métal.

Dès les premières lueurs du jour, les soldats, l'air hagard, défilèrent sans bruit sur le pont. Certains au tempérament nerveux fumaient cigarette sur cigarette ; d'autres, les mains vides, fixaient la mer opaque et sombre qui s'étendait autour d'eux dans un roulement infini. S'il avait cessé de pleuvoir, le ciel encore lourd et gris noircissait l'océan. Accoudé au bastingage à l'arrière de l'*Amsterdam*, Gabriel regardait sans expression le long bouillon d'écume blanchâtre que laissait le navire derrière lui. Seul, silencieux, une cigarette éteinte entre les doigts, une vague inquiétude lui traversait l'esprit. Comme des milliers d'autres, il attendait avec impatience, dans cette froide matinée de la fin du mois d'avril 1944, la suite de sa vie.

Liverpool, 1944

Onze jours après avoir quitté le port de Halifax, l'Amsterdam s'approchait lentement de l'Angleterre. Mis à part une tempête et deux fausses alertes d'attaques de torpilleurs allemands, aucun incident important n'avait marqué la traversée. Quand la rumeur se répandit à bord que l'on pouvait apercevoir au loin le port de mer de Liverpool, les hommes, par centaines, ne respectant plus la consigne, se ruèrent sur le pont. Le voyage tirait à sa fin et une excitation générale gagna les troupes. Cette bonne humeur était également alimentée par le beau temps et ce soleil qui éclairait les côtes anglaises. D'après les membres de l'équipage, habitués aux traversées transatlantiques, il était rare de voir l'Angleterre sans son éternelle couche de brouillard. En apprenant cela, Gabriel qui, comme les autres, s'était frayé une place sur le pont, se dit que cela était peut-être bon signe. La chance était sans doute de leur côté.

Plus ils s'approchaient du grand port, plus on y voyait de l'activité. À plusieurs kilomètres de la côte, on distinguait des dizaines de bateaux de grosseurs différentes qui convergeaient tous vers le port. Et le ciel était sans cesse strié du passage de gros bombardiers qui maintenaient un cordon de sécurité. D'énormes ballons rattachés entre eux par des filets d'acier flottaient haut dans le ciel, protégeant la ville de l'aviation ennemie.

À moins d'un kilomètre des côtes anglaises, le spectacle était stupéfiant. Des centaines de bateaux de différentes nationalités s'étaient engouffrés dans le port. Pendant que d'énormes navires avaient jeté l'ancre en attendant de pouvoir accoster, de petits remorqueurs, tels de jeunes chiots excités, naviguaient avec aisance entre les grosses embarcations pour y diriger le trafic. L'achalandage était si intense qu'il était impossible d'éviter des accrochages mineurs ici et là. Le bruit de tous ces moteurs et le son strident des différentes sirènes s'entremêlaient à la fumée noire et grise que crachaient les cheminées. La mer, heureusement tranquille, semblait saturée d'embarcations. Plusieurs étaient des navires de guerre, mais on y retrouvait également des bateaux de la marine marchande, qui s'occupaient de l'approvisionnement des forces alliées. Pour faciliter l'identification de cette armada, on affichait de grandes lettres et des chiffres sur le pont supérieur de tous les bateaux. Sur le quai, les douzaines de grues géantes, infatigables, tournoyaient sur elles-mêmes dans une valse sans fin, s'acharnant à vider par grandes bouchées les cales des navires qui se présentaient devant elles. Une vingtaine de ces navires au ventre plein attendaient à la file indienne pour se débarrasser de leurs cargaisons.

L'Amsterdam, comme beaucoup d'autres, avait jeté l'ancre. Finalement, après six longues heures d'attente, un remorqueur le guida près du quai principal. C'est à ce moment que l'enthousiasme des troupes allait subitement s'assombrir. À l'approche du quai, on pouvait voir au grand jour les ravages de la guerre. Dans une section du port, plusieurs navires de guerre anglais aux coques éventrées, au métal tordu et brûlé par les bombardements, gisaient sur leur flanc comme de grosses bêtes agonisantes. Aux abords de la ville, les raids allemands avaient laissé des traces de leur destruction. On voyait çà et là des immeubles aux façades défoncées ou en partie détruites. Des bâtiments aux murs chancelants tenaient à peine debout. D'autres bâtiments, il montait une fumée sombre, à l'odeur âcre. Le plus étrange, c'étaient ces longues et tristes cheminées de brique demeurées intactes. Ces sinistres vestiges, comme des pierres tombales, rappelaient qu'à cet endroit des familles entières avaient été décimées.

Devant cette dévastation, silencieuses, les troupes canadiennes restaient songeuses. La violence et l'enfer qui avaient frappé la ville en un instant les hanteraient pour la vie. Eux qui n'avaient encore vu la guerre que sur des bouts de films et des photos en noir et blanc, ils venaient de pénétrer une tout autre réalité. Beaucoup comprirent ce jour-là que l'horreur à laquelle ils s'apprêtaient à participer était désormais toute proche. Heureusement, une fois les premières impressions digérées, les hommes tournaient leur attention vers l'armada qui s'accumulait dans ce pays. Un tel déploiement de machines, de matériel et d'hommes réconforta les troupes de l'Amsterdam. Des soldats revigorés parlaient déjà haut et fort de victoire à portée de main.

— Les Allemands, ils n'ont pas d'idée de ce qui les attend.

— Regardez tous ces bateaux, ce n'est pas croyable la force qu'ils ont accumulée ici.

— Équipés comme ça, les Allemands ne pourront pas tenir une semaine devant nous.

Gabriel restait ahuri devant l'ampleur des préparatifs qui s'étalaient autour d'eux. Lui qui avait été impressionné par le port de Halifax avait peine à croire ce qui se déroulait ici. Ronald Robichaud, qui le suivait partout, avait déjà vu des grands ports de mer avec son père qui était pêcheur. Mais jamais il n'avait été témoin d'une chose pareille.

— Regarde-moi ça, Gabriel, ce n'est pas possible. Avec toutes les armes qu'ils ont accumulées dans ce port, jamais les Allemands ne pourront gagner la guerre.

— Je le souhaite, mon Ronald, c'est tout ce que je souhaite.

— Bon! Voyons! Regarde autour de nous, tous ces hommes, tous ces navires, ces jeeps, ces tanks. Il n'y a rien au monde qui pourrait arrêter ça. Ce n'est pas possible.

— Tant mieux, Ronald, tant mieux. Mais avant de crier victoire, il faudrait d'abord se battre un peu, tu penses pas?

L'air penaud, Ronald acquiesça.

— Oui, ça c'est sûr. Il va falloir se battre. On s'en sortira pas aussi facilement que ça.

On donna finalement l'ordre aux soldats canadiens de redescendre dans leurs dortoirs se préparer pour le débarquement. Des dizaines de passerelles à l'inclinaison abrupte furent installées le long de l'Amsterdam. Par centaines, les hommes chargés de leur équipement descendaient, en rangs ordonnés, s'entasser sur le quai. Autour d'eux, une impressionnante activité humaine se déployait dans tous les sens. Des milliers d'hommes, pour la plupart des soldats, s'affairaient à trier, ordonner, étiqueter et transporter les tonnes et les tonnes de matériel qu'on ne cessait de débarquer dans toutes les parties du port. De gros camions militaires, des tracteurs de ferme, des jeeps et une foule de véhicules de toutes sortes, chargés de boîtes ou de soldats, allaient et venaient dans un trafic hallucinant. Tous donnaient l'impression de vouloir s'éloigner du port le plus vite possible avec le plus de matériel possible. En mettant le pied à terre, les troupes canadiennes eurent l'ordre de rester regroupées par régiment. Gabriel et les hommes du North Shore se retrouvèrent près d'un immense navire de guerre américain. Une fois les régiments regroupés, deux par deux, en rangs serrés, marchant d'un pas rapide, les neuf mille hommes de l'Amsterdam traversèrent la ville en empruntant de petites rues étroites. Et ce dont ils avaient été témoins dans le port se continuait dans presque toutes les artères de la ville. Partout, des rangées de tanks, de camions, de motocyclettes, de canons montés sur des roues étaient alignés, collés les uns sur les autres le long des rues. De petits parcs publics avaient été transformés en entrepôts temporaires. Ils virent même une rue complètement bloquée par un convoi d'avions aux ailes recourbées, montés à l'arrière de camions. De toute évidence, Liverpool était assiégé et on organisait le matériel de guerre où et comme on le pouvait. Seuls les jeeps américaines, recouvertes d'une toile épaisse de couleur verdâtre, étaient en mesure de se déplacer rapidement à l'intérieur de la ville encombrée.

Après une longue marche de plusieurs kilomètres, les troupes canadiennes atteignirent une clairière aux abords de la ville, où des centaines de camions les attendaient. On les transportait à Gasport, une petite ville portuaire. Lorsque Gabriel et Ronald descendirent du camion, il devait être tout près de trois heures du matin. Les officiers qui hurlaient les ordres leur firent comprendre que les cuisines étaient fermées et qu'ils mangeraient le lendemain matin. Malgré la faim qui le tenaillait, Gabriel, fatigué, n'eut même pas la force de protester.

Les troupes alliées, dont le nombre grandissait de jour en jour le long des côtes anglaises, réalisaient rapidement qu'il y avait peu à faire avant la grande opération. On obligeait les soldats à faire un peu d'exercice le matin et de grandes marches l'après-midi. Chaque jour, on faisait le tri entre les bons soldats et les plus faibles. À la fin de ces exercices, des dizaines de médecins examinaient les hommes et évaluaient leur niveau d'endurance. Les déplacements de masse étaient scrupuleusement coordonnés. Pour éviter d'alarmer l'ennemi et de lui laisser deviner l'ampleur des préparatifs qui s'organisaient, les mouvements de troupes étaient sporadiques et les plus discrets possible. Pour certaines manœuvres, on déplaçait même les hommes en pleine nuit. Au cours du mois de mai, on fit faire presque exclusivement des exercices qui avaient pour but de préparer les soldats pour le débarquement. Gabriel avait l'impression de répéter sensiblement les mêmes manœuvres que celles qu'il faisait au Canada depuis deux ans. L'une des plus pénibles était celle où l'on transportait des milliers d'hommes en mer la nuit pour leur montrer comment descendre dans des péniches de débarquement. À l'aide de gros câbles à carreaux disposés le long du navire, les hommes devaient descendre, avec tout leur équipement, dans les péniches que la mer ballottait comme de vulgaires jouets. Le transfert devait se faire le plus vite possible. Chaque fois, des accidents se produisaient. Quelqu'un tombait à l'eau, on se fracturait un poignet ou on se foulait une cheville, le pied coincé dans l'une des mailles des filets qui servaient d'échelles. Gabriel, qui suivait les conseils de Ronald, habitué à la mer, n'eut pas trop de difficulté à maîtriser l'exercice. Une nuit, une fois tous les hommes montés à bord des péniches, on les fit sauter sur une plage au lever du jour. Ils avaient l'ordre de tirer à blanc sur des troupes alliées qui, pour la pratique, simulèrent une contre-attaque.

Entre les exercices quotidiens et les grandes manœuvres, de longues périodes de temps restaient inoccupées. Les hommes, laissés à eux-mêmes, tuaient le temps comme ils le pouvaient. Certains jouaient aux cartes ou aux dés, d'autres écrivaient des lettres à leur famille éloignée ou nettoyaient leur fusil et réparaient leur équipement. Plusieurs restaient simplement allongés sur leur couchette pour tenter de reprendre le sommeil que les bombardements de nuit leur avaient volé. Le bruit des raids aériens, même très éloignés, rendait les hommes nerveux et les empêchait de dormir. Au matin, la fatigue et l'irritation se lisaient sur tous les visages.

La température anglaise n'avait rien non plus pour leur remonter le moral pendant ces temps morts. Cette journée ensoleillée qui les avait si majestueusement accueillis à Liverpool avait depuis longtemps disparu. Presque chaque jour, un brouillard épais, comme un nuage échoué, traînait sur le pays. On aurait dit que ces journées grises et pluvieuses suintaient toute la misère et la tristesse qui s'acharnaient depuis quatre ans sur toute l'Europe.

Pour beaucoup d'hommes, dès qu'une occasion se présentait et qu'ils obtenaient une permission, la seule vraie façon de s'amuser était de se rendre dans l'un des pubs anglais près du port. Pour se distraire, mais surtout pour tenter de tromper l'imminence du spectre de la guerre qui chaque jour se rapprochait d'eux, la bière anglaise était le plus beau des refuges. Derrière leurs discours de soldats sans peur et leurs bravades sans fin, il arrivait que le courage de ces jeunes hommes qui n'avaient encore jamais connu le combat s'estompe. Dans ces endroits toujours bondés, au cœur de cette chaleur humaine, du bruit, de la musique, des cris, des rires, dans la camaraderie, dans l'euphorie et l'ivresse générale, au milieu de la nuit, on en venait pendant un moment à oublier la guerre. Et oublier l'horreur, ne serait-ce que pour un instant, était en soi une forme de victoire. Pour certains, c'était l'occasion de se refaire des forces et de trouver le courage d'endurer l'attente et l'inconnu.

Même si Gabriel n'était pas un grand buveur comme pouvait l'être son frère, lui et Ronald, comme les autres, prirent rapidement goût à l'épaisse *draft* anglaise. Leur pub favori était le *Twin Pig*. La patronne, une vieille Anglaise dont le visage était dénué de toute beauté, était une vraie mère pour ces jeunes soldats qui fréquentaient son établissement et y dépensaient toutes leur payes. Elle avait ouvertement un faible pour les soldats canadiens-français. Même si les soldats américains étaient plus nombreux et avaient plus d'argent, quelque chose dans leur attitude lui déplaisait.

— *Those bloody Yankees, they're just too loud, and they can't hold their liquor,* répétait-elle chaque fois qu'un de ses hommes de table devaient mettre dehors un G. I. qui ne pouvait plus tenir debout.

Pendant cinq semaines, aussi souvent qu'ils le purent, Gabriel et Ronald trouvaient leur place au bout du bar, près des jeux de fléchettes, comme des habitués. Un samedi soir de la fin de mai, Gabriel, tranquillement installé à sa place préférée, sentit soudainement une main ouverte lui tomber violemment sur l'épaule. Aussitôt, il crut que quelqu'un voulait provoquer une bagarre. Cela arrivait souvent. En un éclair, mû par un réflexe, Gabriel, qui n'avait bu que deux bières, se retourna sur lui-même, le poing fermé, prêt à cogner quiconque l'attaquait. Paul, le visage fendu d'un large sourire, les yeux moqueurs, était debout derrière lui et tanguait légèrement, une chope de bière à la main.

— Ben! Voyons Gabriel, ça fait des semaines qu'on ne s'est pas vus et la première chose que tu veux faire, c'est me casser la gueule?

Gabriel, le poing encore serré, éclata d'un grand rire avant de prendre son frère dans ses bras.

— Qu'est-ce que tu fais ici, je croyais que tu étais parti à Portsmouth?

— Justement, Portsmouth, j'en avais plein mon casque. Je voulais voir autre chose. Tu vois les deux gars là-bas, le gros et le petit qui n'a plus de cheveux? Ils ont une jeep. Eh bien, ils m'ont offert de les accompagner. Je n'ai pas refusé.

Gabriel regardait son frère d'un air songeur. Il lui demanda, sur un ton moqueur:

— Tu n'aurais pas perdu plein d'argent dans le pub de Portsmouth, par hasard? C'est drôle, j'ai l'impression que tu avais intérêt à changer d'air.

Paul, passablement ivre, riait.

— C'est possible, c'est possible, mais ne t'inquiète pas avec ça mon Gabriel, demain je vais gagner et je rembourserai tout le monde. C'est comme ça, les cartes; un jour tu perds, le lendemain c'est toi qui ramasses tout.

Ronald, qui sirotait sa bière, écoutait les deux frères, amusé.

— Tiens, je te présente un ami, c'est Ronald Robichaud, c'est un gars de Neguac.

— Salut mon Ronald!

— Salut, Paul. J'avais l'impression de te connaître. Gabriel m'a tellement parlé de son frère.

— Ça doit être vrai qu'il parlait de moi. Gabriel rouspète toujours que je bois trop et que je lui dois de l'argent.

— Ah! Paul, laisse-le tranquille avec nos chicanes d'argent, ça ne l'intéresse pas.

Ronald se leva.

— Écoutez, moi je vous laisse, je suis de garde demain matin. Il faut que j'y aille. Salut, et prenez soin de vous autres.

Paul s'assit sur le tabouret, à côté de son frère. À cause du bruit ambiant, ils devaient presque crier pour se comprendre.

— Imagine, Gabriel, si Pa et Man voyaient où nous sommes rendus... Ce n'est pas croyable le monde qu'ils ont ramassé ici. Tous les jours, il en arrive d'autres. Moi, si j'étais à la place de Hitler, je ramasserais mes hardes au plus sacrant. Parce que de la manière que les choses sont parties, y va en manger toute une.

Gabriel écoutait son frère en riant. De temps à autre, il faisait signe à la patronne de leur apporter deux autres bières.

— Paul, Hitler, ce n'est pas un fou quand même. Ses troupes, toute son armée, elles n'attendent que ça, le débarquement. Traverser de l'autre bord ne sera pas du bonbon, ça j'en suis certain.

— Toujours aussi positif, toi! Tu ne changeras jamais. Tu n'as pas vu tous les tanks, les avions, les bateaux, les soldats qui sont partout? Juste pour te dire, il y a deux semaines, nous sommes allés faire des exercices quelque part je ne sais pas trop où, mais nous avons marché toute la journée, *calvaire*! Mais à un moment donné, dans un champ plus grand que Robertville, à perte de vue, des chars d'assaut, des Sherman, des centaines, peut-être des milliers. Je n'avais jamais vu une chose pareille. Je suis d'accord avec toi, ce ne sera pas du bonbon, mais l'équipement que les Américains et les Canadiens ont amené en Angleterre, c'est la plus grosse armée au monde. Les Allemands, ils sont seuls, ils sont isolés, il n'y a plus personne pour les aider. Ils ne pourront pas résister longtemps.

— Tu as probablement raison, buvons pour fêter ça! répondit Gabriel, visiblement heureux de revoir son frère.

Pendant plus d'une heure, parlant sans arrêt, ils se racontè-rent en détail comment ils s'étaient débrouillés pour la traversée et tout ce qu'ils avaient fait depuis qu'ils avaient mis pied à terre. Gabriel était si content de voir et d'entendre son frère assis à ses côtés, qu'il paya tournée après tournée, ne lui laissant jamais la chance de fouiller dans ses poches pour contribuer sa part à leur soûlerie. S'il ne faisait pas partie de la même compagnie, au moins le revoir pour un moment le réconfortait. D'ailleurs, il était préférable qu'ils n'aient pas à se battre côte à côte. Il ne voulait même pas imaginer le pire. Cette guerre, ils la feraient ensemble d'une manière ou d'une autre. Paul en était là dans ses pensées lorsque vers minuit, d'une table éloignée, l'un des deux soldats qui avaient accompagné son frère leur fit signe en pointant sa montre que bientôt ils devraient partir. Paul leva son verre encore plein pour faire comprendre qu'il finirait sa chope avant de quitter le *Twin Pig*.

— Hé! Pendant que j'y pense, as-tu des nouvelles de la belle Camille? Tu lui as écrit, au moins?

Gabriel, sans rien dire, secoua la tête, embarrassé.

— Tu ne lui as pas encore écrit une lettre? Cela fait plus d'un mois qu'on a débarqué ici et tu ne lui as pas donné de tes nouvelles? Es-tu malade, Gabriel? Tu ne l'aimes plus, ta Camille?

Gabriel, blessé par les paroles de son frère, frappa brusque-ment son verre sur le bar avant de se défendre d'un ton sec:

— C'est sûr que je l'aime encore! Qu'est-ce que tu penses! Mais depuis que je suis arrivé ici, je ne sais pas par quel bout commencer. On dirait que je ne trouve plus les mots. Chaque fois que je commence une lettre, je bloque après deux lignes.

Paul, malgré son ivresse avancée, écoutait sans rien dire et n'en revenait pas. Pour lui, des choses pareilles étaient des détails d'une insignifiance sans nom et il avait de la peine à comprendre le raisonnement de son frère.

— Mais mon pauvre Gabriel, tu ne l'as pas du tout... mais pas du tout. Imagine deux secondes dans ta tête de pioche, elle est là-bas toute seule, la plus belle fille du village, et toi, le clown, tu la laisses sans nouvelles pendant des semaines. Même pas une ligne ou deux pour lui dire que t'es encore vivant et que tu penses à elle. Tu n'as qu'à lui donner des nouvelles de toi. C'est pas compliqué à écrire, ça. Et je vais te dire une autre affaire que tu ne vas pas aimer entendre. Le silence, c'est la pire des choses. Tu sais pourquoi? Parce que quand on n'a pas de nouvelles, on s'imagine des affaires, toutes sortes d'affaires. Et c'est là que les problèmes commencent. Tu ne peux pas la laisser dans le noir comme ça trop longtemps. Je te le dis, tu risques de la perdre.

Gabriel, silencieux et rongé par le regret, était conscient que son frère avait probablement raison. Paul fit alors signe à la serveuse qui travaillait derrière le bar.

— *Miss...! Miss! Please bring me a paper and pencil.*

— *A pencil?*

— *Yes, thank you dear!*

La patronne aux cheveux grisonnants sortit de l'une des poches de son tablier un bout de crayon et une feuille de papier gris qu'elle posa sur le comptoir.

Gabriel, agacé, se mit à secouer la tête.

— Non, non, non, arrête Paul, je ne vais pas écrire une lettre ici, quand même. J'ai compris ton message, tu as sans doute raison, je vais l'écrire ta lettre, c'est promis.

— Ma lettre!?! Ma lettre... Ce n'est pas ma lettre, mais sa lettre à elle, ti-frère. Pis on va l'écrire tout de suite, ici au bar. Pas d'excuse, laisse tomber ton orgueil et écris.

Mais Gabriel, têtu, ne broncha pas, poussant même du revers de la main le crayon et le papier posés devant lui. Après un moment sans rien dire, Paul, dans un geste chargé de tendresse, serra son frère par les épaules.

— Écoute, tu fais ce que tu veux. Si tu ne veux pas lui écrire, c'est ton affaire. Mais Camille, c'est quelqu'un de bien. Des femmes comme ça, il n'y en a pas beaucoup. Moi, à ta place, je ne manquerais pas une occasion de lui dire ça. Si tu y tiens, si tu l'aimes, donne-lui de tes nouvelles, sinon tu risques de le regretter longtemps. Personne ne sait ce qui nous attend ici, mais si nous passons au travers, si nous sortons vivants de ça, imagine tous les projets qui vous attendent. Je ne te l'ai jamais dit, mais Camille, moi aussi j'avais un faible pour elle. C'était toi qu'elle voulait, c'était évident. Je t'en ai voulu un peu, après je me suis dit que c'était pour le mieux. Ne perds pas une fille de même pour des niaiseries pareilles. Pas de farce, Gabriel, une femme comme ça, ça se respecte... Fais ce que tu veux, mais ne perds pas trop de temps. Manque pas ta chance, écris... écris.

Gabriel avait rarement vu son frère aussi sincère. Jamais il ne lui avait parlé de la sorte à propos d'une femme. Malgré l'alcool qui embrouillait tout, il sentit une telle franchise dans ses paroles que pendant quelques secondes, le bruit de la foule qui s'animait autour d'eux s'estompa. Il regarda Paul droit dans les yeux ; ni l'un ni l'autre ne parlait.

— Bon ! T'as raison, je vais l'écrire, cette lettre, et tu vas m'aider en plus.

Paul lui donna deux grandes tapes dans le dos en souriant.

Lorsqu'ils eurent terminé la rédaction, Gabriel plia soigneusement la feuille et la glissa dans la poche de son veston. Paul devait partir.

— Il faut que j'y aille, moi. Il est possible qu'on ne se revoie qu'après le débarquement. Tout le monde en parle, c'est pour bientôt. Tu me promets une chose, Gabriel, on se revoit de l'autre bord... et vivants.

— C'est promis, en France et vivants!

Ils levèrent leur bière ensemble et d'un trait vidèrent leur verre.

Tard dans la nuit, de retour à l'école de Gasport qui servait temporairement de camp militaire pour une partie des hommes du régiment North Shore, Gabriel, allongé dans sa couchette étroite, avait du mal à trouver le sommeil. Dans un élan d'ennui, il sortit de la poche de son veston la lettre que lui et son frère avaient rédigée ensemble. Dans l'obscurité, aidé par une nappe de lumière bleuâtre qui tombait des vitraux crasseux au plafond, il relut sa lettre.

29 mai 1944
Gasport, Angleterre

Chère Camille,

Je t'écris cette lettre mais n'ai pas idée quand tu la recevras. Je tenais à te dire qu'il n'y a pas une journée une nuit, une heure, ni même une minute qui passe sans que je pense à toi. Je donnerais tout pour rentrer au pays près de toi. L'armée, c'était mon idée, c'est moi qui ai entraîné Paul dans cette histoire. Je pensais y faire ma fortune, parfois j'ai l'impression d'y avoir creusé mon malheur. Il est trop tard pour reculer ou pour changer d'idée. Je n'ai plus le choix et il faudra se battre comme tous les soldats qui sont ici.

L'Angleterre, malgré la guerre, c'est un beau pays, même s'il pleut souvent. Quand je repense à chez nous, à nos beaux étés, c'est ton visage qui me revient en tête. Je revois tes yeux et me rappelle le parfum de ton cou. Le plus dur, ce qui me manque le plus, c'est ton sourire et le son de ta voix. Partout autour de moi, tous sont motivés à gagner cette guerre. Nous la gagnerons, ça j'en suis sûr, mais quand? Personne ne le sait. Alors, il faut m'attendre, parce que moi je n'ai qu'une idée: revenir à la maison. Tous les soirs, je prie pour la victoire et pour te revoir.

Une fois rentré, je t'en fais la promesse, j'irai voir ton père et ferai la grande demande. Je veux construire cette maison sur ma terre. Je veux te donner des enfants, autant que tu en voudras. Je ne demande rien de plus au bon Dieu. J'ai déjà trop attendu. S'il y a une femme au monde pour moi, c'est toi, Camille. Personne d'autre que toi et pour la vie.

Je suis prudent, je pense à toi et reviendrai le plus vite possible.

Ton Gabriel qui t'aime et t'embrasse !

Robertville 1944

La table desservie, la vaisselle lavée et rangée, Camille se rendit au salon rejoindre ses parents qui, chaque soir, s'y installaient pour le thé. Comme elle entrait, sa mère, qui brodait un napperon de fil blanc, lui fit subtilement comprendre d'un signe de tête de ne pas faire de bruit.

Louis-Joseph s'était assoupi dans sa chaise et dormait, la bouche grande ouverte. Sans rien dire, Camille ramassa doucement par terre le journal qui lui était tombé des mains. Sur la pointe des pieds, à reculons, elle retourna à la grande table de la cuisine.

Dehors, les journées qui ne cessaient de rallonger avaient fini par chasser l'odeur fétide de toute cette boue qu'avait amenée la mort de l'hiver. Déjà depuis plusieurs semaines, le printemps, qui avait été précoce, s'était débarrassé des derniers bancs de neige qui agonisaient à la lisière des forêts. Pendant un long moment, Camille, d'un regard attendri, observa trois fillettes qui, enveloppées de la lumière dorée du jour tombant, sautaient à la corde dans la cour de l'église. Par bribes, elle entendait leur ritournelle qu'elle-même, enfant, avait si souvent chantée.

— *Les douze mois de l'année sont : janvier, février, mars...*

L'été était à la porte. Le beau temps ferait du bien à tous, se disait-elle. Depuis son retour de Montréal, après la mort de son père, la mère de Camille avait changé. Elle qui avait toujours eu le goût et le sens du bonheur tardait à rebondir. Camille et son père comprenaient cela et respectaient le temps dont elle avait besoin pour vivre son deuil.

L'absence de sa mère faisait secrètement l'affaire de Camille. Cette distance l'aidait à camoufler cette inquiétude qui, depuis le départ de Gabriel pour l'Europe, la rongeait intérieurement. La sensation désagréable, au début si discrète, prenait de l'ampleur et semblait s'enraciner sournoisement. Rien de tout cela n'était de bon augure. Elle tenta en vain d'identifier l'origine de son trouble. Quel était-il ? D'où venait-il ? Quelle était sa source ? Elle n'en savait rien, n'en avait aucune idée. Mais constamment, elle recherchait le vrai visage de cette inquiétude aux contours flous.

Pour tromper cet agacement qui hantait ses pensées, elle s'abrutissait dans le travail. Elle faisait les repas, les lavages et le ménage de la maisonnée, en plus d'aider son père dans le studio aussi souvent qu'elle le pouvait. Elle était infatigable. Se tenir occupée était devenu une obsession. Tout pour ne pas se retrouver seule à ne rien faire, seule avec elle-même. Sa mère, encore minée par la douleur de la perte de son père, n'avait pas la présence d'esprit nécessaire pour détecter ce changement chez sa fille. Elle qui, toute sa vie, avait été si sensible aux moindres besoins de Camille ne vit pas ces signes. Mais son père, à quelques reprises, lui reprocha de trop en faire.

— Sors, Camille, sors ! Le ménage, les lavages, le studio, tout ça peut attendre un peu. Tout n'a pas besoin d'être fait en même temps. Ta mère va prendre du mieux, tu n'as pas besoin de te tuer à la tâche. Et même si ton Gabriel est dans les vieux pays, cela ne signifie pas que tu doives te cloîtrer. Tu es trop jeune, profites-en, le temps passe si vite.

— Ne vous inquiétez pas pour moi, papa. Je n'en fais pas beaucoup plus que d'habitude. De toute façon, où voulez-vous que j'aille et avec qui? Les activités à Robertville ne sont pas très nombreuses, répondit-elle à son père sur un ton qu'elle voulait rassurant.

Louis-Joseph, à court d'arguments, haussa les épaules. Sur ce point, sa fille avait raison.

— Tu devrais quand même faire autre chose que travailler constamment, c'est tout!

— Je vous le répète, papa, ne vous inquiétez pas pour moi, je ne me plains de rien. L'été arrive, ça nous changera de la routine de l'hiver, vous verrez.

Quand la lumière déclinante mit fin aux jeux des trois fillettes, Camille détourna son regard et reprit la lecture du journal étalé devant elle. Son père, par habitude, était resté abonné aux grands quotidiens montréalais. Même s'ils accusaient souvent quelques jours de retard dans leur livraison, Louis-Joseph maintenait que c'était encore la meilleure façon d'avoir des nouvelles du Canada français et du monde. Camille et sa mère feuilletaient ces journaux à l'occasion. Mais s'ils avaient plusieurs jours de retard, comme c'était souvent le cas en hiver, toutes deux perdaient intérêt à prendre connaissance de ce que Janine qualifiait de «vieilles nouvelles».

D'un œil distrait, elle parcourait rapidement le journal, ne s'attardant qu'à la lecture des grands titres. La presque totalité des pages étaient consacrées à la guerre. Des dizaines d'articles décrivaient en détail le rôle que jouait l'armée canadienne en Europe. On y traitait également de la contribution des Alliés dans les autres conflits. Les titres accrocheurs, aux relents de propagande, se voulaient tous plus encourageants les uns que les autres: NAVIRE DE GUERRE JAPONAIS TORPILLÉ EN NOUVELLE-GUINÉE, L'AUSTRALIE NOURRIT LES U. S. DANS LE PACIFIQUE, VINGT-SIX NAVIRES ALLEMANDS COULÉS EN MÉDITERRANÉE, LES ALLIÉS REPRENDRONT BIENTÔT

ROME. Camille se perdait quelque peu dans ce déluge d'information. Depuis quatre ans, on annonçait une victoire imminente des Alliés. Mais, chaque jour, le conflit semblait s'amplifier et s'étendre à d'autres parties du monde. Elle ne savait plus trop quoi et qui croire. Seul son père, avec qui elle en discutait à l'occasion, essayait de lui donner une opinion juste et réaliste de la situation mondiale.

Désintéressée, elle s'apprêtait à refermer le journal lorsqu'un petit entrefilet, à l'avant-dernière page, retint son attention : « L'ANGLETERRE VEILLE AU MORAL DE LA FRANCE OCCUPÉE ». Elle put y lire qu'en janvier 1944, des avions anglais avaient lancé, au-dessus de la France occupée, des milliers de tracts sur lesquels étaient imprimées les vingt et une strophes du poème le plus célèbre de Paul Éluard. Le grand poète de la Résistance, encore révolté par les atrocités de la guerre de 1914 et de l'occupation allemande de son pays, voulait par ces mots redonner courage au peuple français. Camille, qui ne connaissait pas l'homme et encore moins son œuvre, fut touchée par l'originalité d'une telle initiative. Elle lut avec une attention toute particulière le poème disposé en une longue colonne étroite.

Liberté

Sur mes cahiers d'écolier
Sur mon pupitre et les arbres
Sur le sable, sur la neige
J'écris ton nom

Sur toutes les pages lues
Sur toutes les pages blanches
Pierre sang papier ou cendre
J'écris ton nom

Sur les images dorées
Sur les armes des guerriers
Sur la couronne des rois
J'écris ton nom...

Et par le pouvoir d'un mot
Je recommence ma vie
Je suis né pour te connaître
Pour te nommer

Liberté

Au moment de quitter la table, Camille, sensible à la beauté des mots, murmura une seconde fois les trois dernières lignes du poème :

« Je recommence ma vie
Je suis né pour te connaître
Pour te nommer

...

Liberté »

Peu de temps après avoir remis le journal à son père qui s'était réveillé, Camille, prétextant la fatigue, souhaita le bonsoir à ses parents et monta dans sa chambre. Dans la quasi-obscurité de la pièce, elle alluma les chandelles du candélabre à cinq branches posé sur la commode, entre sa bassine en porcelaine et son pot d'eau. Par pudeur, elle tira les rideaux de la fenêtre. Sans presse, avec comme seul témoin cette lumière vacillante, elle défit les nattes qui retenaient ses cheveux et se dévêtit. Puis, après un moment d'hésitation, sans faire de bruit, elle verrouilla la porte de sa chambre. Nue, debout devant son armoire à glace, elle se mit à examiner son corps. Elle regarda ses épaules, ses seins, se tourna d'un côté, regarda le bas de son dos avant de revenir de face. Doucement, elle glissa une main ouverte sur son ventre. Du bout des doigts, effleurant à peine l'épiderme laiteux de son bas-ventre, elle allait et revenait d'un geste lent et fragile. Puis, sa main remonta jusqu'au soulèvement de son sein gauche. Touchant la pointe de son mamelon, elle se demanda si cette sensibilité, à la limite de la douleur, était nouvelle ou simplement le fruit de son imagination. Ce n'était pas la recherche d'un plaisir solitaire qui motivait cet examen minutieux. Camille, depuis plusieurs semaines, sentait des changements dans son corps. Même si cela n'était encore qu'une vague impression, de jour en jour elle semblait se confirmer.

Soudainement, tout son corps fut saisi d'un léger tremblement suivi d'un grand frisson. Au même instant, la première strophe de ce long poème qu'elle venait de lire lui revint à l'esprit. Elle ferma les yeux :

Sur mes cahiers d'écolier

Sur mon pupitre et les arbres

Sur le sable, sur la neige

J'écris ton nom...

Pareille à une source trop longtemps endiguée, Camille ne put retenir ses larmes. En imaginant ces avions anglais libérer de leur ventre ces milliers de feuilles blanches au-dessus de la France, elle pensa à Gabriel. Aussitôt, elle fut envahie d'une insoutenable tristesse. Comment la guerre était-elle possible dans un pays où la poésie tombait du ciel comme de gros flocons de neige ? Pourquoi fallait-il que l'homme dont elle était amoureuse soit si éloigné ? Ces questions lui meurtrissaient le cœur.

Au premier craquement de l'escalier, signe que ses parents montaient pour la nuit, elle enfila prestement sa robe de nuit, souffla les bougies avant de se glisser sous ses couvertures froides. Longtemps elle chercha le sommeil, le corps toujours secoué par les sanglots.

Angleterre, juin 1944

Tôt le 3 juin au matin, le régiment North Shore, ainsi que toute la huitième brigade d'infanterie de la troisième division et d'autres unités de l'armée canadienne, furent mobilisés et transportés par camion au port de Southampton. Gabriel monta à bord du HMS Brigadier, le même navire qui avait servi pour les exercices du débarquement quelques semaines auparavant. Ils étaient un peu plus d'un millier d'hommes à s'embarquer sur ce bateau aux cales humides, d'où émanait en permanence une puanteur de vomissure. Le 4 juin, le temps était couvert. Au large, une tempête se déchaînait dans la Manche. Si tous se doutaient que l'heure de l'invasion était toute proche, le mutisme des officiers restait inébranlable.

Mais en fin d'après-midi, des aumôniers, transportés dans de petites embarcations, se mirent à visiter les milliers de navires qui mouillaient l'ancre dans le havre de Southampton, autour de l'Île de Wight, ainsi que dans tous les ports de mer environnants. Lorsque Gabriel et Ronald aperçurent l'aumônier descendre pour donner l'absolution aux hommes, ils comprirent qu'il ne s'agissait plus d'un exercice. Après avoir confessé quelques soldats, on célébra une courte cérémonie en latin. En quelques minutes et après peu de mots, la cérémonie était terminée. Les hommes qui étaient agenouillés se relevaient en faisant le signe de la croix. Se tournant vers Gabriel, Ronald lui demanda, l'air préoccupé:

— C'est plus sérieux que d'habitude, hein? Qu'est-ce que tu penses, Gabriel?

— Je ne sais pas. C'est la première fois qu'ils nous envoient l'aumônier.

— C'est certain, cette fois nous allons débarquer, j'en suis sûr.

— Tu as probablement raison, Ronald… Cette fois, c'est la bonne.

Le lendemain matin, des averses continuaient de laver les côtes anglaises. Un épais brouillard, qui enveloppait tout le pays, ne faisait qu'achever le moral des hommes, qui n'en pouvaient plus d'attendre. La grogne des troupes confinées dans leurs embarcations étroites était palpable. Heureusement, trop faibles et malades, les hommes ne faisaient que se lorgner avec mépris. Sur les bateaux de plus petit tonnage, ceux qui transportaient les tanks et autres véhicules de guerre, les équipes formées de quelques hommes seulement bénéficiaient d'un peu plus d'espace. En revanche, la mer, même près des côtes, était encore plus impitoyable pour ces petites embarcations, qu'elle ballottait comme des bouchons de liège. On tentait de passer le temps en jouant aux cartes ou aux dés. D'autres priaient. Mais le mal de mer finissait par gagner même les plus forts.

En fin d'après-midi, on fit circuler à bord du HMS Brigadier des modèles de testaments qu'on obligea les hommes à lire et à signer.

— C'est encourageant, ça… des testaments, c'est quoi la prochaine affaire? déclara Ronald, insulté.

— Cette fois, mon Ronald, c'est clair. Il n'y a plus de doute, on traverse et c'est pour bientôt.

Gabriel avait l'impression que tous les détails des dernières heures s'inscrivaient dans son esprit au fer rouge. D'un moment à l'autre, tout son monde allait chavirer; il en avait désormais la certitude.

En début de soirée, on rassembla les hommes pour les informer que le débarquement était prévu pour le lendemain matin, le mardi 6 juin, à l'aube. Partout, des officiers déroulaient des plans et de grandes cartes qui dévoilaient en détail où et comment se ferait l'invasion des côtes normandes. Gabriel se répéta silencieusement, à plusieurs reprises, le nom de la ville que le régiment North Shore devait libérer : Saint-Aubin. Un peu plus tard, on donna le grand signal du départ. D'un bateau à l'autre, des jets de lumière signalaient que le message avait été reçu. Des cris de joie se faisaient entendre de partout. Gabriel et Ronald, emportés par l'enthousiasme général, ne purent s'empêcher de s'échanger quelques tapes sur l'épaule. La grande majorité des soldats n'avaient qu'une vague idée de ce qui les attendait réellement. Seuls quelques haut gradés connaissaient les vrais chiffres et le coût humain reliés aux opérations du débarquement. Mais pour assurer le succès de l'invasion et, surtout, pour éviter d'effriter le moral des troupes, on tint ces informations secrètes.

Malgré la pluie et le mauvais temps, à partir de 21 heures, un à un les milliers de navires et d'embarcations de toutes sortes se mirent à quitter l'Angleterre. C'est près de 7000 embarcations chargées de 185 000 hommes et 20 000 véhicules, dont 1000 chars, qui lentement prirent la route pour la France. Précédée de dragueurs de mines qui avaient la dangereuse mais indispensable mission d'ouvrir une voie dans la Manche, cette armada, comme un monstre, s'était réveillée. Des airs, plus de 171 escadrons alliés, comme des essaims de gros insectes, avaient décollé des terres anglaises pour participer à l'offensive. Bientôt, en pleine nuit, 2700 parachutistes se retrouveraient derrière les fortifications allemandes. Ils seraient les premiers à forcer le Mur de l'Atlantique. Plus tard, les pilotes rapporteraient que du haut des airs, la vision de tous ces navires, de toutes ces petites lumières bleues de camouflage qui scintillaient dans la nuit, donnait l'impression qu'une ville entière se mouvait sur la mer. Ils étaient si nombreux et leur déploiement était si vaste que l'océan semblait soudainement s'être recouvert d'une épaisse couche d'acier. Les embarcations, malgré tout ce qu'elles devaient charrier, malgré la force des vents, la violence des vagues et le mauvais temps, fendaient la mer comme une charrue ouvre le sol durci. Rien n'aurait été en mesure d'arrêter la course de ce convoi qui glissait inexorablement au cœur de la nuit.

Si à l'annonce du départ il y avait eu une flambée de joie, cette flamme d'enthousiasme s'était aussitôt éteinte. Vers onze heures, la mer était si mauvaise que la plupart des hommes à bord du HMS Brigadier, même les plus hardis, souffraient du mal de mer. Ronald, avec son expérience de pêcheur qui s'accommodait toujours de la houle profonde, avait atteint son seuil de tolérance. Blême, le visage défait, il dut se servir de son casque d'acier pour vomir, les toilettes étant en permanence occupées. Gabriel, à bout de forces, ne priait plus que pour une chose, la fin de ce calvaire. Plusieurs, comme lui, n'en pouvaient plus. Tous voulaient mettre pied à terre le plus vite possible. Les sceptiques, ceux qui depuis trois ans étaient mobilisés en Angleterre, étaient persuadés que tout ce déploiement d'hommes, de bateaux et d'avions n'était que de la frime. Tout cela n'était qu'un exercice géant pour donner la trouille aux hommes. Ceux-là ne cachaient plus leur colère.

— *If this is a Goddamn practice, I'm telling you, I'm going to kill somebody!*

Pendant ce temps, il déferlait au-dessus de cette ville flottante des centaines de bombardiers, gorgés de tonnes de bombes, qui se dirigeaient droit sur les côtes normandes. Ils étaient si nombreux que du fond des cales pestilentielles, on pouvait reconnaître le bourdonnement que crachaient leurs puissants moteurs.

Vers cinq heures du matin, à une douzaine de kilomètres des côtes françaises, le HMS Brigadier, comme des milliers d'autres navires, arrêta sa course. Il s'était immobilisé en pleine mer, et on ordonna aux hommes d'enfiler leur équipement et de monter sur le pont. Peu avaient fermé l'œil pendant la nuit. Après avoir pris quelques bouchées du petit déjeuner qu'on leur servit en vitesse, ils se mirent à monter les échelles étroites en rangs pour atteindre le pont supérieur. La houle qui ne cessait de s'acharner sur eux bousculait les hommes déjà affaiblis. On ne faisait que trébucher ou accrocher, avec son équipement, les autres qui se massaient comme ils le pouvaient sur le navire. Partout, on n'entendait que jurons et blasphèmes. Après peu de temps, ils étaient plus d'un millier à attendre dehors, sous la pluie fine et le vent froid. Sur l'eau, plusieurs petites embarcations d'assaut s'étaient approchées du navire. On jeta alors sur les côtés des filets à grands maillets qui servaient d'escalier pour descendre dans les péniches. À l'aide d'un mégaphone, un officier s'adressa aux troupes qui s'apprêtaient à descendre :

— *This is not a practice! This is the real thing! The invasion of Normandie will take place in less than two hours. You know what you have to do, you are well trained, well equipped. Many of you will not make it. Do the best you can and may God be on our side.*

Silencieux, Gabriel attendait qu'on lui donne l'ordre de descendre dans la péniche. À ses côtés, Ronald n'arrivait plus à allumer sa cigarette tellement ses mains tremblaient.

Par milliers, tous les navires se mirent à transférer les soldats dans les petites péniches de débarquement qui tanguaient tels des jouets dans l'eau. Lorsque les hommes avaient pratiqué cette manœuvre au cours d'une nuit calme, l'exercice avait semblé facile et même amusant. Mais sur une mer démontée avec les vents, la pluie, le froid, le ventre vide d'avoir trop vomi, affligés de cette peur qui leur collait à la peau comme une sangsue, plus rien de tout cela n'était drôle. En plus d'être coiffés de leur casque d'acier et de porter leur fusil en bandoulière et leur ceinturon de munitions, tous étaient alourdis d'un sac à dos dont le poids dépassait les vingt kilos. Gênés dans leurs mouvements, ils devaient quand même descendre le plus vite possible ces cordages aux grands maillets. Les embarcations d'assaut, instables dans cette mer agitée, frappaient la coque du navire, produisant à chaque coup un bruit sourd et lugubre, pareil au bruit d'un tambour de guerre. Mais sans interruption, telle une coulée de lave humaine, les soldats agrippés par centaines aux maillets des cordages quadrillés descendaient prendre leur place dans les péniches pleines à ras bord. Au-dessus d'eux, des officiers continuaient sans cesse de crier des directives au travers du bruit des moteurs, du vent et de la cohue générale.

— *KEEP GOING! KEEP GOING, DON'T FALL. If you fall in the water with that equipment on your back, you're going to drown!*

Chaque péniche pouvait contenir une trentaine d'hommes. Aussitôt pleines, ces boîtes d'acier devaient s'éloigner du navire et laisser la place à une autre embarcation vide. Comme le signal du départ n'avait pas encore été donné, les péniches et leur équipage attendaient à l'écart en tournant sur place, violemment ballottés par la mer mauvaise. À bord, les hommes, tel du bétail, étaient coincés les uns contre les autres. Faute de place, ceux qui se sentaient mal, et ils étaient plusieurs, vomissaient sur le sac à dos du soldat accroupi devant eux.

Toujours sur le pont, alors qu'il s'apprêtait à descendre, un soldat qui se tenait debout devant Gabriel eut cette réflexion :

— *You know what, guys! These landing crafts, they look like giant coffins. They don't look like boats at all.*

Gabriel, qui n'avait pas saisi le sens de la remarque, fronça les sourcils et regarda Ronald.

— *Coffin* ? C'est quoi, un *coffin* ?

Ronald jeta sa cigarette sur le pont mouillé et répondit, la tête basse :

— Cercueil! Il dit qu'on s'embarque dans un cercueil.

Et partout sur la Manche, dans cette nuit du 6 juin 1944, des scènes similaires se répétaient. Loin au large des côtes françaises, des navires se déchargeaient de milliers de jeunes soldats fin prêts pour l'assaut qui devait être décisif.

Gabriel et Ronald eurent à peine le temps de lâcher les câbles du navire pour sauter dans leur péniche qu'aussitôt le signal de l'invasion fut donné. Il était 7 heures, et plus de quatre mille péniches de débarquement des armées canadienne, anglaise et américaine convergeaient sur les côtes normandes. Derrière eux, au même moment, les destroyers amarrés au large se mirent à bombarder les fortifications allemandes. Depuis des heures, des centaines de bombardiers, dans un rugissement assourdissant, déversaient sans relâche, des airs, leurs obus à la tonne sur le Mur de l'Atlantique. Lorsque toutes ces bombes se mirent à déchirer la nuit, l'horizon fut peint sur des kilomètres d'un rouge couleur d'enfer.

Sur les côtes, on distinguait dans les premières lueurs du petit jour de fines traînées de fumée sombre qui montaient des villes bombardées. Les milliers de troupes d'assaut avançaient dans la lumière grise sous un temps couvert. Pour un meilleur camouflage, les premières péniches lancèrent sur la mer des bombes de fumée artificielle. Les hommes, constamment arrosés par ces trompes d'eau blanche et froide que soulevaient les embarcations, grimaçaient de rage. Avec dans la bouche le goût de l'eau salée, tous restaient silencieux. Entassés les uns contre les autres, raidis de peur, engoncés dans leurs uniformes trempés, ils n'avaient rien à dire. Suivant l'exemple des autres, Gabriel protégea, de son doigt, l'extrémité de son fusil de l'eau salée. Il releva la tête et put apercevoir le contour de la ville au loin. Il vit même le clocher d'une église et des colonnes de fumée qui assombrissaient le ciel. Repérés par l'ennemi, les Allemands firent pleuvoir leurs obus sur la mer. Une première péniche, tout près de celle à bord de laquelle étaient montés Gabriel et Ronald, fut frappée et prit feu. Lorsque les balles des mitrailleuses se mirent à ricocher sur les parois de leur embarcation, des hommes baissaient spontanément la tête et priaient en silence. L'officier à bord leur cria ces consignes que mille fois ils avaient entendues depuis deux ans:

— *Remember what we did in practice. When you hit the beach, don't run in a straight line and don't bunch up together. Five men is an easy target, one man is a waste of time.*

Avec les obus qui sautaient de tous les côtés, les hommes comprenaient à peine les instructions que l'officier s'obstinait à crier.

— *As soon as that ramp drops, you jump and start running. If you freeze and stay on the beach, you're dead.*

Plus les péniches approchaient de la côte, plus la mitraille et les bombardements étaient nourris. Les projectiles qui tombaient à la mer soulevaient des montagnes d'eau blanche qui retombait à l'intérieur des embarcations. Tous les éléments se déchaînaient au même moment autour d'eux; l'eau, le feu et la terre se confondaient dans une violence inouïe. Le pire, c'étaient ces balles qui s'écrasaient à répétition sur les parois d'acier des péniches telle une grêle mortelle. À bord, les hommes, les dents serrées, restaient silencieux. Ceux qui étaient trop curieux et se relevaient pour voir dans quel enfer on s'apprêtait à les jeter se faisaient rigoureusement réprimander par les officiers:

— *STAY LOW! STAY LOW! GOD DAMN IT! THOSE ARE REAL BULLETS, NOT FAKE!*

Gabriel, d'une main tremblante, sortit de sous son uniforme une médaille d'argent que sa mère lui avait remise le jour de son départ. Elle en avait également donné une à son frère. En leur glissant la chaîne autour du cou, sa mère, les yeux vitrés, leur avait fait promettre de ne jamais s'en séparer.

— Je les ai fait bénir à Pâques. La bonne Sainte Vierge, c'est la seule qui vous protégera là-bas, de l'autre bord. Elle sait c'est quoi, perdre un fils.

Nerveux, Gabriel embrassa la médaille du bout des lèvres avant de la fourrer sous sa camisole, à la presse, comme pour la protéger du danger. À l'instant où, d'un coup d'épaule, il réajustait son sac à dos qui l'incommodait, le moteur de la péniche changea de rythme dans un grondement. Ils avançaient plus lentement. La peur se lisait sur tous les visages figés. Si les vagues semblaient s'amoindrir, le bruit des balles et des déflagrations d'obus était devenu infernal. Soudainement, un long grincement d'acier qui déchirait les oreilles se fit sentir sous leurs pieds. La coque avait frappé un obstacle caché sous l'eau. Par miracle, la mine qui y était attachée n'avait pas sauté. Coincée, la péniche ne pouvait plus avancer. Les hommes devaient sauter.

— *PREPARE TO LAND! PREPARE TO LAND!* criait l'officier de toutes ses forces, le visage terrorisé.

Un soldat de petite taille mais costaud, qui respirait comme un bœuf, se força une place devant Gabriel et Ronald. Comme pour narguer le danger, il voulait être le premier de sa compagnie à sauter sur la plage.

Au cours de la nuit, les bombardiers au ventre alourdi avaient martelé de tonnes de bombes les plages de l'invasion. Dès l'aube, les cuirassés massés au large avaient repris la charge. Mais leur travail de destruction s'arrêtait là. Il fallait maintenant laisser les troupes alliées prendre d'assaut la côte française. Déjà, une première vague d'embarcations touchait les plages. À droite et à gauche, les péniches étaient coulées par les mines. On pouvait apercevoir des corps déchiquetés de soldats voler en éclats sous la force de l'explosion, comme frappés par la foudre. Le mince brouillard qui traînait toujours sur l'eau était doucement balayé par un vent faible. Privées de ce camouflage naturel, les troupes d'invasion se retrouvaient sans défense. Du moteur de la péniche à bord de laquelle Gabriel et Ronald étaient montés sortit un rugissement strident. C'était une vaine tentative du pilote pour tenter de se défaire de ces tenailles invisibles qui se cachaient sous l'eau. Il n'y avait plus rien à faire, la seule façon de libérer l'embarcation était de la vider de ses hommes pour l'alléger. L'ordre était crié. Et ce mot que tous redoutaient retentit comme une gifle au visage :

— *JUMP! JUMP! JUMP! JUMP!*

La rampe d'acier était à peine retombée qu'une salve de mitraillette faucha la première rangée de soldats qui s'apprêtaient à sauter, l'arme à la main. En un éclair, six hommes qui étaient devant Gabriel tombèrent sans même avoir eu le temps d'ouvrir la bouche. Le visage éclaboussé de sang et de morceaux de chair, immobile, hébété par la brutalité de cette mort, saisi de peur, il crut être lui-même touché. Derrière, on ne cessait de crier :

— *JUMP! JUMP! JUMP!*

Quelqu'un, d'un violent coup de crosse dans le bas du dos, le sortit de sa stupeur. Électrisé par la douleur, il enjamba les morts et les blessés qui criaient et sauta. La péniche s'était arrêtée trop loin du rivage. En sortant, les hommes tombaient dans près de deux mètres d'eau. Gabriel perdit pied et se retrouva la tête sous une vague. Pendant quelques secondes, complètement immergé dans cet étrange silence cotonneux, il se sentit curieusement en sécurité. Malgré sa peur de mourir noyé, l'absence de tout ce bruit qui déchirait les tympans lui permit de reprendre un peu ses sens. Partout autour de lui, il voyait de longues traces d'argent laissées par des balles qui pénétraient dans l'eau. Silencieuses, elles semblaient inoffensives. Un soldat tombé avec lui, pris de panique, tentait de se défaire de son sac à dos. Il se débattait, la bouche ouverte, et criait de peur, mais aucun son ne sortait. Puis, soudainement, foudroyé par l'une de ces longues queues argentées que laissaient derrière elles les balles de mitraillettes, le soldat fut tué sur le coup. Son sang, comme une source abondante, colora l'eau de la mer. Conscient du danger, Gabriel, frénétique, se mit à chercher la terre ferme de ses pieds. Dès qu'il toucha le sol rocailleux, il sortit la tête hors de l'eau. Brutalement, un bruit d'enfer le happa de plein fouet. Partout les hommes qui, par milliers, tentaient de s'arracher aux vagues pour courir sur la grève étaient accueillis par un barrage de mitrailles allemandes. Par dizaines, ils tombaient blessés ou morts. Mais sans cesse, ils étaient remplacés par d'autres soldats que les péniches continuaient de déverser à la tonne. La plage était truffée de mines antipersonnel qui déchiquetaient, torturaient ou tuaient d'un coup sec tous ceux qui avaient le malheur de marcher sur elles.

Son fusil au-dessus de la tête, Gabriel continuait d'avancer avec difficulté dans l'eau qui lui montait jusqu'à la taille. Lorsqu'il atteignit le sable, il courut se mettre à l'abri derrière un petit rocher où trois autres soldats s'étaient blottis. Il n'eut pas le temps de reprendre son souffle; des rafales qui semblaient provenir de toutes les directions se mirent à ricocher autour d'eux. Le sifflement des balles qui lui frôlaient le corps lui fit prendre panique. La tête basse, il reprit sa course, mais son uniforme complètement trempé le ralentissait. Au bout d'une dizaine de mètres, malgré les déflagrations qui l'entouraient, épuisé, confus, il se laissa tomber de tout son long. Hors d'haleine, rassemblant les forces qui lui restaient, il tenta de retrouver ses esprits. D'une main tremblante, il essuya la sueur et le sable qui lui couvraient le visage. Réalisant qu'il tenait toujours son fusil, il se dit qu'il lui fallait tirer pour se défendre. Mais tirer qui? Tirer où? Sur quoi? On ne voyait pas l'ennemi. Cachés dans leurs casemates de béton, les Allemands étaient parfaitement camouflés. De toute évidence, les bombardements avaient raté leurs cibles. Pour les atteindre, il fallait maintenant s'en approcher et glisser une grenade par l'un de ces minces orifices utilisés pour les mitrailleuses. Un Allemand dut remarquer que Gabriel était toujours vivant. Une traînée de balles lui frôla la jambe et déchira même son pantalon. De peur, il bondit et se mit à courir vers un muret de pierres qui cerclait les abords de la ville. En quelques minutes, ils étaient plus d'une vingtaine accroupis derrière cet abri de fortune qui les protégeait des tirs ennemis. Les Allemands ne donnaient aucun signe d'affaiblissement. Tels de grands coups de cravaches invisibles, partout on voyait le sable et l'eau sauter sous cette grêle de projectiles. De tous les sens, des salves de mitrailles balayaient la plage et les péniches qui continuaient de débarquer les troupes. Les hommes qui n'étaient pas tués tombaient sur les galets ensanglantés en se tordant de douleur. Gisant dans leur sang, plusieurs pleuraient ou criaient à l'aide. La plupart n'avaient même pas eu le temps de tirer une seule balle. Un jeune soldat au visage d'enfant qui tentait d'atteindre le muret pour se protéger fut grièvement blessé par l'explosion d'un obus. Couché sur le dos, il tentait désespérément de ramener, à grandes poignées, ses intestins qui s'échappaient de son ventre ouvert. Comme des bêtes gluantes, ses entrailles hideuses semblaient ne plus vouloir reprendre leur place. Le visage en pleurs, les mains poisseuses de sang et de sable, il faisait tous les efforts pour garder la vie en lui. Parmi tous les cris de ceux qui tombaient, Gabriel crut soudainement reconnaître celui de Ronald. À une vingtaine de mètres derrière lui, Ronald, sans casque, le visage couvert de sang, criait à s'en arracher les poumons. Il tenait entre ses mains ensanglantées ce qu'il lui restait de jambes. À mi-cuisse pendaient deux moignons de chair et d'os en charpie. Il avait eu les jambes arrachées par une mine, et la douleur était insupportable. Gabriel, sans même réfléchir, voulut lui porter secours. Il s'apprêtait à le faire mais fut arrêté dans son élan par une main qui le retint par l'épaule. À ses côtés, un soldat lui cria au visage :

— *LEAVE THE WOUNDED MEN BEHIND. OTHERS WILL TAKE CARE OF THEM. STAY LOW AND TRY TO SHOOT!*

Gabriel n'eut pas le temps de protester. Une deuxième rafale atteignit Ronald au ventre et au visage.

Puis, au même moment, comme un vent qui soudainement change de direction, les défenses allemandes donnèrent de premiers signes d'affaiblissement. Pour faire taire un nid de mitrailleuses, des dizaines d'hommes étaient sacrifiés. Mais à force de détermination et de courage, les Alliés gagnaient du terrain. Le flot ininterrompu de soldats qui sautaient des péniches de débarquement pour se jeter dans cet enfer finirait par faire tomber cette position allemande. Si plusieurs chars d'assaut avaient coulé avant même de toucher la grève, quelques-uns, épargnés par les obus, continuaient leur avancement. Massés derrière eux, des douzaines de soldats s'en servaient comme boucliers. Avec d'autres, Gabriel se mit à décharger son fusil sur la façade d'une petite maison à l'intérieur de laquelle deux mitrailleuses allemandes étaient camouflées. À court de munitions, un soldat canadien, sans même réfléchir, arracha au ceinturon de Gabriel une grenade qu'il lança avec adresse à l'intérieur de la fenêtre où était dissimulé l'ennemi. L'explosion, accompagnée d'une bouffée de flammes et de cris d'horreur, mit aussitôt fin à la riposte.

Ainsi, au compte-gouttes, mètre par mètre, les forces alliées étaient en train de mater l'occupant qui s'était depuis deux ans incrusté sur les côtes normandes en y érigeant un arsenal impitoyable. Même si l'hécatombe avait encore faim de jeune chair et de sang frais, partout de petites brèches affaiblissaient rapidement l'armée allemande. Ce qui avait semblé impossible les premières minutes du débarquement se confirmait. Le Mur de l'Atlantique, fendillé de toutes parts, était en train de tomber. Une à une, les casemates étaient neutralisées et les soldats canadiens pénétraient par petites poignées dans la ville de Saint-Aubin. À quelques endroits, des tanks roulaient déjà dans les rues étroites, faisant trembler sur leur passage les vieilles maisons de pierre. Par petites grappes, les soldats s'infiltraient dans la ville en longeant prudemment les murs. Une à une, les maisons étaient fouillées et nettoyées des Allemands qui s'y cachaient encore.

Parce qu'il avait momentanément perdu la notion du temps, Gabriel avait l'impression que les combats avaient duré toute la journée. En fait, un peu moins de deux heures s'étaient écoulées depuis que les Alliés avaient posé le pied sur le sol français. Le 6 juin, Beny-sur-Mer, rebaptisé Juno pour les opérations du jour J, était libéré avant même le coup de midi. Acculés à l'évidence de leur défaite, les soldats allemands, par dizaines, préféraient jeter leurs armes et se rendre les mains jointes sur la tête plutôt que de mourir au combat. D'autres, plus craintifs, agitaient de petits mouchoirs de linge blanc. Curieusement, les plus jeunes de ces soldats, qui ne devaient pas avoir plus de seize ou dix-sept ans, semblaient craindre plus d'être grondés que de mourir fusillés. Une prison fut improvisée sur la plage. Si plusieurs s'étaient rendus sans grande résistance, on entendait encore ici et là les crépitements isolés de mitrailleuses chargées de déloger quelques tireurs toujours embusqués.

Dans ce semblant d'accalmie, des officiers à l'allure nerveuse criaient aux soldats canadiens de rejoindre leur unité. Déjà, on préparait l'assaut d'un autre village. Soudainement assommé par une fatigue insupportable, Gabriel se laissa choir contre un muret de pierre où plusieurs soldats s'étaient assemblés pour se reposer quelques minutes. Il enleva son casque d'acier et s'essuya lentement le front du revers de sa manche. Les yeux vides, il regardait le spectacle de dévastation qui l'entourait. Partout, on s'affairait à ramasser les hommes touchés au combat qui gisaient dans leur sang dans des positions grotesques, le corps disloqué. Au bout d'un long moment, réalisant qu'il avait miraculeusement été épargné, tout son corps fut saisi de tremblements. Même assis, il fut pris d'un vertige auquel s'ajoutait une incontrôlable envie de vomir. Il était vivant et n'avait pas une seule éraflure, comment cela était-il possible? On lui parlait, il répondait, cela devait avoir du sens, mais lui n'avait aucune compréhension des mots qui se formaient dans sa bouche. Un sourire lui collait bêtement aux lèvres sans qu'il sache trop pourquoi. Non loin d'où il était, un soldat canadien agenouillé pleurait comme un enfant. Il n'était pas blessé et n'avait aucune souffrance physique. Il avait succombé sous le poids de l'horreur. Quelqu'un offrit à Gabriel une cigarette que machinalement il alluma.

Pendant que les opérations de débarquement se poursuivaient, on s'affairait à trier les blessés et les morts. Par centaines comme des billots de bois mou, on alignait ces hommes vidés de leur sang, vidés de leur vie, ces moitiés d'homme, ces restants de chair et d'os. Les visages défigurés, les corps lacérés et meurtris, s'empilèrent comme des carcasses d'animaux jetés sur le sol d'un abattoir. Avant la tombée du jour, les morts canadiens, anglais, allemands et les civils français se compteraient par milliers. Si la vision de tous ces morts écœurait, celle des blessés était carrément intolérable. Étendus sur les galets, les soldats aux membres disloqués, arrachés, aux corps écartelés, n'étaient plus que plaintes et lamentations. Alors que la mer repue de sang rejetait mollement les cadavres, la plage portait les agonisants. Certains criaient comme des bêtes alors que d'autres, malgré l'atrocité de leurs blessures, taisaient leur souffrance. Oscillant entre la vie et la mort, le visage blême, le regard perdu, ils étaient secoués de temps à autre par des spasmes involontaires. Ceux qui en étaient capables et en avaient encore la force priaient. On voyait leurs lèvres psalmodier des prières inaudibles. Couché sur une civière, un soldat appelait sa mère en pleurant. De sa bouche s'échappait un filet de bave rougie de sang. Les éclopés, se servant de leur fusil comme appui, marchaient en clopinant avec lenteur vers les péniches de débarquement transformées en ambulances flottantes. Ils étaient suivis par une vingtaine de soldats affligés de blessures aux yeux. Ils avançaient à la file indienne, une main posée sur l'épaule devant eux, et on les guidait vers ces embarcations. Pour ces borgnes et nouveaux aveugles, la guerre était terminée ; ils ne retourneraient jamais au front. La plupart d'entre eux venaient de livrer leur premier et dernier combat. Ancré au large, un navire-hôpital attendait avec anxiété ces premières vagues de blessés et d'estropiés.

Sur la plage, les infirmiers tentaient de prodiguer les premiers soins en désinfectant et pansant sommairement les blessures des soldats toujours cloués au sol. Agacés, ils chassaient du revers de la main des nuées de mouches noires attirées par ce festin d'entrailles hachées et de sang frais. Pour calmer temporairement les hommes qui déliraient de douleur, ils n'avaient d'autre option que de leur injecter de grandes quantités de morphine. Débordés, les aumôniers se chargeaient de ceux pour qui il n'y avait plus d'espoir. Penchés sur les mourants, l'oreille collée à leur bouche, ils tentaient de recueillir de ces voix chevrotantes les dernières confessions de leur jeune vie.

Un vent faible courait sur la côte, charriant avec lui l'odeur de poudre et la fumée de toutes ces incendies. Mais le plus dérangeant, c'était cette odeur qui se répandait partout sur la plage, qui collait à la peau et levait le cœur, celle de l'urine et des excréments. Il émanait de tous ces corps entaillés, estropiés, déchiquetés et mutilés, une puanteur qui montait à la gorge. Ce parfum immonde rappela à Gabriel ces porcs que chaque automne, son père abattait pour la viande. L'odeur de tous ces morts fit surgir en lui la vision de ces bêtes écartelées, la panse éventrée, pendues par les pattes arrière à une poutre du toit de la grange. Au sol s'accumulaient dans un grand récipient les organes gluants et visqueux. C'est cette image que le carnage qui l'entourait éveillait en lui. L'horreur, tout n'était qu'horreur. Ce champ de bataille avec tous ces morts, tous ces agonisants, cet air infect et ces insupportables lamentations s'imprégnaient dans son esprit comme les traces d'une encre noire laissée sur un fin papier de vélin. Témoin de trop d'atrocités, saturé de cette infamie, à bout de forces mentales, Gabriel crut pendant un moment qu'il perdait la tête, que la folie le guettait. Un bruit sourd se mit à lui percer les oreilles. Il regardait autour de lui mais comprit aussitôt qu'il était le seul à l'entendre, ce son strident. Il ferma les yeux et mit ses mains sur ses oreilles pour atténuer la douleur. Après de longues secondes, le bourdonnement s'estompa. Mais lorsque Gabriel ouvrit les yeux, il ne sentait plus rien. Devant l'honneur, il était devenu de glace. Soudainement tout l'indifférait, plus rien ne semblait le toucher. Le sang, la mort, les cris et les lamentations ne l'atteignaient plus. Il prit conscience que jamais personne ne pourrait comprendre ce qui s'était déroulé sur ces côtes françaises. Il lui était clair que pour survivre, pour ne pas perdre les derniers lambeaux de lucidité qu'il lui restait, il n'aurait d'autre choix que de taire la monstruosité à laquelle il venait de participer. Et si des généraux et hauts gradés de l'armée savouraient le succès de leur débarquement et salivaient déjà à l'idée de voir leur nom s'inscrire dans l'histoire, Gabriel n'y trouvait au contraire que honte et désespoir. Il ne voyait qu'un charnier, un champ de bataille à jamais ensemencé du sang de ceux qui étaient tombés au combat. Ce matin-là, rien n'aurait pu arrêter l'élan et le souffle de ces milliers d'hommes à l'assaut. Au cœur de cette masse guerrière, quand le corps est dépossédé de sa liberté de reconnaître la peur et le danger, il devient aveugle ; et seule la mort peut arrêter sa course. L'atrocité, le feu, le bruit, les bombes, plus rien de tout cela n'existe. Par instinct, on suit la meute en furie, souhaitant faire partie de ceux qui seront épargnés. Gabriel, comme les autres, s'était jeté sur ces plages comme si le sort du monde entier dépendait de leurs actions. Mais justement, le monde entier dépendait de leurs sacrifices.

Il prit une grande gorgée d'eau de sa gourde et remit son casque d'acier, qu'il avait jeté sur le sol. Après s'être levé, il rejoignit une lignée de soldats canadiens qui marchaient vers le centre de la ville. Son uniforme était taché de sang; soûlé de dégoût, interdit, il avançait sans rien dire. Dans sa tête, des scènes d'horreur rejouaient sans cesse. Après avoir quitté cette plage, il ne serait plus jamais le même homme. Ses gestes mécaniques et froids étaient dépourvus de toute trace d'humanité. Pour se protéger, pour ne pas retourner contre lui l'arme qu'il avait entre les mains, il se ferma au monde. Prisonnier de l'engrenage de la guerre à laquelle il n'y comprenait que peu de choses, s'isoler lui semblait la seule porte de salut. Pour en finir avec cette absurdité, il ne lui restait qu'une avenue : le silence. Il ferait tout ce qu'on lui demanderait, sans se préoccuper du danger et des conséquences. Il obéirait à cette seule obsession d'en finir avec la guerre. Les moyens pour y arriver lui importaient peu.

Il s'accrochait à cette idée pour continuer, pour survivre.

Robertville, juillet 1944

Louis-Joseph, toujours calme d'ordinaire, s'impatientait. À deux reprises, il consulta sa montre en or, qu'il gardait dans la poche de sa veste. Après y avoir jeté un coup d'œil rapide, exaspéré, il referma d'un petit coup sec le couvercle à l'intérieur duquel Janine avait fait graver ses initiales en guise de cadeau d'anniversaire. Ne pouvant plus se retenir, il s'approcha du bas de l'escalier qui montait au deuxième étage et s'écria:

— Camille! Il est tout près de 10 heures. Si tu ne descends pas bientôt, moi et ta mère traverserons sans toi.

Debout devant le miroir de la porte d'entrée, Janine ajustait la voilette de son chapeau. Se tournant vers son mari, elle lui signifia son désaccord en fronçant les sourcils.

— Janine, chaque dimanche c'est la même histoire qui se répète. Nous habitons en face de l'église et nous sommes les derniers arrivés. C'est embarrassant, à la fin. Elle le fait exprès, ou quoi?

— Si tu continues de crier, cela n'arrangera rien. Et de toute façon, rien ne presse, je ne joue pas d'orgue aujourd'hui. Monsieur Godin m'avait prévenue dimanche dernier qu'il aimerait jouer au moins une fois par mois. J'ai congé, prenons notre temps.

— Je ne crie pas, je me fais entendre, c'est différent.

— Allez, viens. Elle nous rejoindra dehors, c'est tout.

À la course, Camille descendit l'escalier en tenant son chapeau de feutre. Consciente de ses retards, elle ne se reconnaissait plus, elle qui, d'ordinaire, se montrait aussi disciplinée que son père quant à l'organisation et au respect du temps. En fait, depuis des mois, Camille était aux prises avec des émotions étranges. À son insu, elle avait l'impression que sa vie s'était scindée en deux parties qui s'affrontaient continuellement dans une guerre fratricide. De jour en jour, loin de s'atténuer, cette sensation inconfortable ne faisait que grandir. Par des efforts surhumains qui, le soir, la laissaient au bord de l'épuisement, elle prenait tous les moyens nécessaires pour que rien ne paraisse. Ses parents, la clientèle de la boutique, les gens qu'elle côtoyait au village, personne ne voyait de différence ou ne remarquait de changements. L'image qu'elle tentait désespérément de maintenir ne trahissait pas encore le drame qui la déchirait intérieurement. Isolée dans ses pensées, retranchée dans cette angoisse, elle était sans cesse persécutée par des questions qui restaient sans réponse. Devant l'inconnu, devant ce vide et le gouffre que représentait l'avenir, elle voulait dissimuler les changements qui, impitoyablement, s'opéraient en elle et affectaient tout son être. Le poids insupportable de cette double vie l'écraserait bientôt de remords.

Plus belle que jamais, elle mettait désormais un temps déraisonnable pour faire sa toilette et choisir les vêtements qui l'aideraient à mieux camoufler cette peur qui, comme une bête insatiable, la rongeait nuit et jour. Le plus pénible était de cacher à sa mère les malaises qui l'affligeaient dès son réveil. C'étaient ses mensonges qui faisaient son malheur et la rendraient malade si rien ne changeait.

Camille se savait forte et capable de tout surmonter. Pourtant, dans les minutes qui suivaient, elle serait submergée par l'ampleur des événements auxquels elle devrait faire face. Tous ses projets d'avenir, tous ses plans et ceux que ses parents entretenaient pour elle, ne se réaliseraient jamais. En un éclair, tout s'écroulerait; son destin se précipitait à toute allure vers un abîme d'une profondeur insondable.

Les DuRepos s'assirent sur leur banc, situé à l'avant, dans les toutes premières rangées. L'église, curieusement colorée par la lumière du jour, elle-même teintée par les vitraux des fenêtres oblongues, était comme tous les dimanches pleine de fidèles. Détachée de tout cela, Camille écoutait la cérémonie sans vraiment y porter attention. Elle imitait les gestes de ceux qui l'entouraient et répétait machinalement ces formules entendues des milliers de fois. La messe du dimanche était pour elle un des rares moments où elle pouvait enfin rester naturelle. Tout y était organisé, elle n'avait pas besoin de jouer un rôle. Elle suivait les autres et, sans faire d'effort, laissait le déroulement de la cérémonie s'occuper d'elle. Agenouillée sur le prie-Dieu, elle ferma les yeux pour se retrouver seule pendant quelques secondes. Dans ce silence collectif, elle reprenait des forces. Même si elle ne pouvait pas encore se l'avouer, Camille réalisait très bien que la muraille qu'elle s'était érigée pour se protéger finirait tôt ou tard par s'écrouler. Mais, à l'intérieur de cette église, elle avait chaque dimanche matin la certitude de gagner du temps, de dérober quelques instants de répit à l'avenir incertain.

À la toute fin de la cérémonie, du haut de la chaire, le père Thibodeau invita d'un geste des mains la foule à se lever.

— Avant de partir, j'aimerais que vous gardiez une place toute spéciale dans vos prières pour la famille Cormier. Edmond et Mariette Cormier, du village de Saint-Laurent, ont appris cette semaine qu'ils avaient perdu un de leurs fils sur le champ de bataille en Europe.

Comme un vent glacé qui serait venu de nulle part briser la surface d'un lac aussi plat qu'un miroir, un murmure se répandit dans l'église. Foudroyée, Camille, dont le visage était d'une blancheur effrayante, se sentit défaillir. De ses deux mains, elle agrippa de toutes ses forces le rebord de l'accoudoir. Une seule question lui monta à la gorge comme un cri silencieux : « Lequel est mort ? » Ces mots lui brûlaient les lèvres, c'était pire que du feu. Le père Thibodeau, après avoir laissé quelques secondes à ses paroissiens pour absorber la triste nouvelle, reprit :

— Demandons au Seigneur que dans sa grande bonté, il donne à la famille Cormier le courage et la force d'accepter cette épreuve. Demandons-lui également de protéger son frère toujours au front quelque part en Europe. Prions pour que Gabriel Cormier soit accueilli dans le royaume éternel du Christ. Récitons ensemble un Notre Père. Notre père, qui êtes aux cieux, que votre nom soit sanctifié...

Le poison de l'horreur pénétra l'âme de Camille telle une lance de métal rougie à même les flammes de l'enfer. Dans les jours qui suivraient, les ravages de ce venin la pousseraient aux limites du désespoir. Lentement, elle se laissa tomber sur son banc. Soudainement seule au monde, elle ne voyait plus personne et n'entendait plus rien. Gabriel était parti. Alors qu'autour d'eux l'église se vidait, Louis-Joseph et Janine s'étaient rassis et tentaient de supporter leur fille. Des curieux se retournaient pour mieux voir ce qui arrivait à la fille du photographe. Dehors, sur le perron, le bruit se répandait déjà que la belle Camille avait eu un malaise. Et ceux pour qui rien ne passait inaperçu firent remarquer, à voix basse, que l'été dernier on avait souvent vu la bicyclette du jeune Cormier chez les DuRepos. Mais dans l'église, à mille lieues des potins qu'on commençait à propager, Camille, muette, sombrait à vue d'œil. Tout son univers s'était brutalement arrêté à l'annonce de la mort de celui qu'elle aimait. Doucement, de ses yeux gonflés de chagrin, s'échappaient les premières larmes de son malheur. Quelques secondes à peine après avoir entendu les paroles assassines du père Thibodeau, il ne lui restait plus de forces pour se battre.

Sans défense, sans espoir, elle déposa les armes. C'était terminé, elle ne cacherait plus rien.

Inconsciemment, d'un geste lent et plein de tendresse, Camille caressait son ventre de sa main gantée. Si elle ne pouvait encore l'expliquer avec des mots, tout était clair dans son esprit. Ce que pendant des mois elle n'avait pas voulu accepter, ni même considérer, s'était transformé en un fait immuable en un instant. Cet enfant qu'elle portait dans le silence et la peur ne lui avait jamais semblé aussi vivant, comme si cet être à peine formé, par instinct de survie devant la mort de son père, sentait l'obligation d'affirmer son existence.

Une voix lointaine répétait des mots que Camille n'arrivait plus à comprendre. Quelqu'un la serrait dans ses bras et lui parlait tout doucement. Janine tentait de ramener sa fille à la réalité.

— Camille... Camille, ma petite... Viens, rentrons à la maison.

Lorsqu'elle trouva la force de se lever, elle quitta l'église aidée de ses parents, sous le regard confus du père Thibodeau, qui ignorait tout des fréquentations du jeune couple.

Deux jours auparavant, devant l'averse qui menaçait, les bessonnes Cormier s'empressaient de rentrer le lavage qui avait séché tout l'après-midi sur la corde à linge. Une automobile noire qui avançait avec hésitation sur la route s'arrêta un moment à l'extrémité de leur cour. Puis, elle s'approcha lentement de la maison. Allongé à l'ombre d'un arbuste de lilas sauvage, le chien de la famille Cormier, trop vieux pour aboyer, souleva la tête et secoua mollement la queue. Peu habituées à voir des visiteurs et encore moins des autos, Jeannette et Marianne, qui n'avaient que quinze ans, posèrent leur panier d'osier sur l'herbe. Un homme d'une cinquantaine d'années, plutôt grand, les cheveux courts et grisonnants, sortit de l'auto. Il avait dans la main ce qui de loin ressemblait à une petite enveloppe. S'approchant des deux sœurs, il demanda d'un ton doux et poli :

— *Is this the house of Mrs. Mariette Cormier ?*

Jeannette et Marianne restèrent muettes. L'homme relut à voix haute le nom inscrit sur le papier pour s'assurer qu'il l'avait bien prononcé.

— *Mariette Cormier ?*

Les jumelles ne comprenaient pas la langue anglaise. Mais Jeannette, qui crut reconnaître le prénom de sa mère, partit la chercher à la course. À peine l'avait-elle appelée que madame Cormier, qui préparait le souper, sortit sur le perron en s'essuyant les mains sur son tablier blanc. En apercevant cet homme bien habillé qui lui tendait un bout de papier, Mariette eut un mauvais pressentiment.

— *You are Mrs. Mariette Cormier ?*

— Oui, c'est moi.

— *I must give you this telegraph.*

— Un télégramme... pour moi ?

D'une main encore moite, elle prit le télégramme. Elle reconnut son nom et son adresse. Avec difficulté, elle tenta de déchiffrer les quatre lignes dactylographiées en lettres majuscules.

```
                                                          0001

              CANADIAN NATIONAL
                   TELEGRAPHS

                          DAY LETTER        ┌───────┐
                                            │   X   │
                                            └───────┘
                          NIGHT LETTER      ┌───────┐
                                            │       │
                                            └───────┘
  CNA

  CASUALTY (REPORT DELIVERY)          OTTAWA 10TH JULY 1944

  TO:   MRS MARIETTE CORMIER
        ROBERTVILLE
        GLOUCESTER CO NB
  13233 MINISTER OF NATIONAL DEFENCE DEEPLY REGRETS TO
  INFORM YOU G19348 PRIVATE GABRIEL CORMIER HAS NOW BEEN
  OFFICIALLY REPORTED DIED OF WOUNDS FOURTH JULY 1944 STOP
  IF ANY FURTHER INFORMATION BECOMES AVAILABLE IT WILL BE
  FORWARDED AS SOON AS RECEIVED
                                   DIRECTOR OF RECORDS

  PREPAID                              OFFICER I/C RECORDS
```

Une crispation fit tressaillir ses lèvres ravinées. Confuse, elle qui lisait à peine et ne comprenait que quelques mots d'anglais, doutait d'avoir saisi le sens de ce message dans lequel on mentionnait le nom de son fils. Lorsqu'elle releva la tête, l'étranger avait enlevé son chapeau et le tenait à la hauteur de sa poitrine. Alors, madame Cormier fit le lien entre ce geste de condoléances et cette date du 4 juillet 1944. Le visage décomposé, livide, un cri étranglé dans la gorge, elle porta une main à sa bouche entrouverte. Elle se laissa tomber de tout son poids sur la première marche de l'escalier. Apeurées par la réaction de leur mère, ses filles prirent panique. Marianne poussa un cri et se mit à pleurer. Jeannette partit à la course chercher son père qui travaillait dans le jardin. Et comme une bête blessée, le vieux chien tenant à peine sur ses pattes se mit à hurler une plainte qui arrachait le cœur. De nulle part, une brise aussi légère que les ailes d'un ange vint tout doucement caresser les draps blancs étendus sur la corde à linge. Le temps s'assombrissait. À l'horizon, la lumière grise s'étranglait dans la course des nuages qui se bousculaient. Détruite, le visage enfoui au creux de ses mains, la mère de Gabriel se noyait dans ses sanglots. Ce bout de papier et ces quelques lignes l'avaient jetée dans un désespoir que seules les femmes qui perdent un enfant peuvent comprendre.

Avant de partir, l'homme en noir, qui avait l'expérience de ces télégrammes de la Défense Nationale, déclara d'un ton consterné :

— *I am terribly sorry, Mrs. Cormier.*

Presque sans bruit, l'auto fit marche arrière avant de s'éloigner avec lenteur sur la route poussiéreuse. Mais déjà, les premières gouttes de pluie qui tombaient tristement rendaient la route boueuse et glissante.

Carpiquet, France, Juillet 1944

À l'abri, caché dans un ravin, Gabriel fouillait déses-pérément les poches de son uniforme pour trouver du feu. Une cigarette accrochée aux lèvres, il poussa un profond soupir. Comme une grande partie des hommes de son régiment, il était épuisé et aurait aimé s'allonger un moment pour dormir un peu. Mais il faisait encore jour et les ordres avaient été clairs.

— *Stay here and wait! We will give you the signal when to come out.*

Attendre, c'était la chose que Gabriel avait le plus de diffi-culté à supporter. Tous les jours, la même routine se répétait: marcher, s'arrêter, attendre, reprendre les rangs, s'arrêter à nouveau, manger quelques conserves en vitesse, marcher, toujours marcher, s'allonger sur l'herbe mouillée, dormir une heure ou deux comme on le pouvait, marcher, s'arrêter, creuser une tranchée, attendre, se lever, avancer au pas de course, le dos courbé, tirer sur l'ennemi toujours invisible et se faire tirer dessus par l'ennemi toujours bien embusqué, se cacher, attendre, reprendre la route, attendre les chars, attendre l'aviation et se taire malgré la fatigue, le mal aux pieds, la faim, la pluie, la soif et la peur, rien de cela n'avait d'importance. Le plus dur, et cela tous le savaient maintenant après un mois de combat, c'était que l'avancement des troupes alliées en Normandie piétinait. On payait cher le succès du débarquement. Dès le 7 juin, la contre-attaque allemande avait été immédiate et sanglante.

Ceux qui avaient naïvement cru que la ville de Caen serait reprise en quelques jours avaient sous-estimé l'efficacité et l'expérience de l'armée allemande. Ils occupaient la région depuis quatre ans, connaissaient le terrain et s'y étaient incrustés avec l'acharnement du désespoir. Ils avaient transformé ces routes sinueuses et étroites, ces terres boisées et vallonnées, ces prés encerclés par des haies vives en une armée redoutable. Les bocages, ces levées de pierre et de terre recouvertes d'arbres plantés par l'homme pendant des générations, étaient un abri naturel qui permettait de dissimuler des tanks, de l'artillerie lourde, et aussi d'y installer à pied levé des nids de mitraille. Même s'ils étaient en plus petit nombre, les tanks allemands étaient de beaucoup supérieurs aux chars *Scharman* qui, chaque jour, débarquaient par centaines à Arromanches. La piètre performance des chars anglais était telle que les Français les avaient surnommés «cercueils roulants». Le seul répit pour les troupes alliées était leur supériorité dans les airs. Le jour, les déplacements des troupes allemandes étaient repérés et les troupes étaient détruites par l'aviation. Mais la nuit, l'ennemi en profitait pour se ravitailler et regrouper ses forces.

Dans un tel contexte, chaque parcelle de terre conquise par les Alliés était accompagnée de nombreuses pertes humaines. Tous les jours, on enterrait sommairement les morts par dizaines, et on envoyait les blessés graves vers les hôpitaux de fortune. Pour Gabriel, tous ces morts ne signifiaient plus rien. Après le débarquement et la mort de Ronald, il s'était blindé comme d'autres l'avaient fait. Lorsqu'il s'arrêtait pour y penser, dans son esprit il y avait désormais deux vies, celle d'avant le débarquement et celle d'après.

Ce 6 juin 1944, comme une borne, avait marqué le temps d'une cicatrice hideuse. Jamais les images de cette boucherie ne le quitteraient. Tous ces visages des soldats morts le hantaient la nuit comme le jour. Le seul moyen de s'en défaire était de se tenir occupé. La chose à ne pas faire était de rester trop longtemps au même endroit. Gabriel exécutait les ordres sans jamais discuter. Si rien ne bougeait, il lui arrivait de se porter volontaire. Une fois son corps épuisé, il trouvait quelques heures de paix.

Parfois, entre deux combats, pendant un moment de repos, il avait cette étrange sensation de vivre à l'intérieur d'un cauchemar dont il ne pourrait plus se réveiller. Curieusement, plus rien ne l'effrayait. Il se portait volontaire sans mesurer les risques et les conséquences possibles. L'action lui était salutaire, rester trop longtemps seul avec ses pensées le perdrait. Il n'était plus le même homme. Après tout ce qu'il avait vu, tout ce qu'il avait fait et tout ce qui pouvait encore lui arriver, il entretenait cette conviction que son âme était tachée du sang des autres. Avait-il tué des hommes? Sans doute. Au cœur des combats, l'homme obéit à d'autres lois. La chose était simple, tuer ou être tué. Sur le champ de bataille, il n'existe pas d'autres possibilités. En à peine un mois, il avait développé une telle haine de la guerre que cela troublait parfois ses pensées. Il avait l'impression qu'il s'enfonçait chaque jour un peu plus dans les ténèbres. Seul le temps réussirait peut-être à laver la souille qui salissait tout son être.

S'il l'ignorait, ou feignait de ne pas s'en rendre compte, autour de lui on le trouvait étrange et certains s'en méfiaient. Après la mort de Ronald, Gabriel avait refusé de se lier d'amitié avec d'autres soldats. Dans son dos, on lui donnait peu de chances de s'en sortir vivant. Toutes ces missions pour lesquelles il se portait volontaire et même son courage étaient perçus comme des gestes d'un désespéré, d'un suicidaire à la limite de la folie. Pourtant, Gabriel ne voulait qu'une chose: faire la guerre pour s'en débarrasser et rentrer à la maison le plus vite possible. Dans son isolement, il lui arrivait de penser à son frère et de s'en inquiéter. Parfois, il revoyait des membres de sa famille, sa mère, son père et Camille. Camille… Tout cela lui semblait si loin, désormais. Dans sa tête, le temps se confondait et tous ses souvenirs s'embrouillaient.

À force de fouiller, il en vint à trouver au fond de l'une de ses poches le petit cylindre en métal à l'intérieur duquel il gardait au sec ses allumettes de bois. Dès qu'il s'arrêtait un moment, il grattait une allumette et s'allumait une cigarette pour occuper ses mains. C'était comme un réflexe. Il fumait tellement que souvent, il se servait du mégot de celle qu'il terminait pour allumer la suivante. Fumer s'était transformé en une obsession. Il achetait des paquets des autres de peur d'en manquer. Lui qui, avant la guerre, en avait pris l'habitude pour imiter son frère, avait maintenant développé une vraie dépendance.

Mais il avait à peine eu le temps d'allumer celle qui lui pendait aux lèvres que, un peu plus loin, on donnait déjà l'ordre de se regrouper.

Un éclaireur était revenu au pas de course informer l'officier en charge que les deux prochains kilomètres étaient sans danger. Il avait même repéré une ferme récemment abandonnée ou une partie des hommes pourraient trouver un refuge pour la nuit. Les premiers jours de juillet étaient généralement ensoleillés et chauds, mais les nuits étaient, au contraire, fraîches et souvent froides. Chaque jour, les hommes pestaient contre ces averses, brèves mais fréquentes, qui leur tombaient dessus. Aussi près de la mer, les nuages, appesantis d'humidité, déversaient leur excès d'eau sur toute la région côtière. Mouillées par ces soudaines ondées, les troupes souhaitaient qu'un peu de soleil de fin de journée sèche leurs vêtements, ne serait-ce que pour quelques heures. La perspective de passer une nuit sous un toit était un luxe apprécié de tous.

Gabriel se mit en route avec cette longue et lente procession de soldats aux visages mornes et à l'allure fatiguée. Deux par deux, sans grand entrain, ils marchaient sur l'étroit chemin de terre battue. À quelques reprises, ils croisèrent de petits convois de familles qui, leurs maisons ayant été détruites par les bombardements, fuyaient leur village. À bord de carrioles et de chariots aux essieux grinçants, souvent tirés par un cheval de ferme, les gens amenaient avec eux tout ce qu'il leur restait de biens : quelques meubles décatis, de grosses malles, une ou deux cages en bois contenant quelques volailles et parfois, au bout d'une corde, une vache qui suivait avec lenteur. Les adultes marchaient ; seuls les vieillards trop faibles pour un tel effort et les enfants encore trop jeunes trouvaient une place où s'asseoir dans les chariots déjà surchargés. Certains de ces enfants, le visage sale de poussière et les doigts dans la bouche, pleurnichaient de faim et de fatigue.

En début de soirée, une fois le campement installé, on mit les hommes au courant de l'offensive qui les attendrait tôt le lendemain matin. Pour ne pas révéler leur position aux Allemands tout proches, il leur était strictement interdit d'allumer des feux. Sous la lumière faible d'une torche électrique, on déroula une carte de la région sur le sol. Les hommes, massés tout autour, écoutaient silencieusement le jeune officier anglophone qui donnait les détails de l'opération.

Gabriel, attentif, comprit les grandes lignes mais ignora certains détails de l'attaque. Pour lui, cela n'avait que peu d'importance. Dès les premiers combats auxquels il avait participé, il n'avait pu faire autrement que de constater qu'entre ce qui était minutieusement planifié et ce qui se déroulait sur le champ de bataille, un monde d'imprévus pouvait survenir. Désormais, il se fiait davantage à son instinct pour rester vivant.

Dans la journée du 4 juillet, les troupes canadiennes devaient reprendre l'aéroport de Carpiquet. Carpiquet était une petite ville située en banlieue de Caen. L'opération était considérable. Trois régiments participaient à la grande offensive, soit le Royal Winnipeg Rifle, le régiment de la Chaudière et le régiment North Shore. On y déploierait quatre bataillons d'infanterie, appuyés par un régiment blindé et toutes les pièces d'artillerie lourde disponibles. Toute cette force de frappe convergerait sur l'aéroport à l'aube. Réalisant l'ampleur de la mission à laquelle ils s'apprêtaient à participer, un murmure s'éleva du groupe d'hommes assemblés devant l'officier. Le cercle de soldats s'était défait, il ne restait que quelques heures de repos avant les manœuvres.

Gabriel trouva une place pour dormir sur un tas de foin humide, mais confortable. Au loin, on entendait des bombardements épars qui, telle une nuit d'orage, éclaircissaient le ciel d'éclats de lumière rougeâtre. Couché, Gabriel ressentait le grondement des bombes dans tout son être. C'était la seule musique que les troupes avaient pour accompagner leur sommeil. La nuit passée à l'intérieur de cette grange, dont la moitié de la toiture avait été emportée par un obus, fut plus pénible qu'à l'accoutumée. Assailli par des cauchemars, Gabriel se leva à deux reprises sur son séant, les yeux exorbités et le visage tordu de peur. Chaque fois, d'un geste automatique, il cherchait son fusil de sa main. Avant de se rendormir, d'étranges pensées défilaient dans son esprit. Il revit l'image de son père qui, quelques jours avant leur départ, avait dit : «Toutes les guerres se terminent par la paix, même les plus longues. Pour l'amour de votre mère, faites attention à vous autres.» Toute la nuit, dans cet état de semi-conscience, il tenta de trouver quelques minutes de répit.

Le jour était à peine levé qu'aussitôt on s'affaira à la distribution de munitions additionnelles. Après avoir mangé, les hommes, le visage marqué par le manque de sommeil, se mirent à marcher. Plus ils approchaient de leur position, plus il devenait évident que les champs qu'ils devraient traverser pour atteindre l'aéroport étaient grands ouverts et offraient peu d'abris naturels. Les hommes comprirent aussitôt le danger auquel ils allaient faire face. Terré dans un petit fossé, un officier, d'un signe de main, donna l'ordre aux hommes de s'arrêter. Il était dix heures du matin et ils avaient marché pendant près de trois heures. Exténué, Gabriel se jeta dans le fossé et but une longue gorgée d'eau. En le voyant s'allumer une cigarette, un soldat à ses côtés lui en demanda une.

— *You have an extra one?*

Gabriel hésita quelques secondes puis tendit le paquet au soldat, qui tremblait légèrement.

— *Thanks Gabriel! You know what? I don't like those empty fields. It's just too quiet.*

— *I know, me too*, marmonna Gabriel en guise de réponse.

Comme des milliers d'autres soldats éparpillés un peu partout, ils attendaient les ordres. Il faisait beau. Un vent faible, un vent d'est, ployait avec douceur les longues tiges de blé, tout en balayant du même coup l'épaisse bruine qui, toute la matinée, avait camouflé leurs déplacements.

Derrière eux, ils entendaient le grondement des chars qui cherchaient leur position. Gabriel craignait le calme que dissimulait la beauté de ses grands espaces. En relevant la tête, il pouvait apercevoir, tout au bas du vallon, un regroupement de maisons aux toitures rougeâtres. Au milieu du hameau pointait timidement le clocher d'une petite église, coiffé d'une croix de cuivre. Devant l'imminence du combat, les hommes étaient si tendus qu'au moindre bruit ou mouvement suspect, ils épaulaient leur fusil, prêts à tirer sur tout. N'eût été des officiers et des soldats plus expérimentés, le pire se serait produit.

— *Don't shoot first! If you shoot first, it will give our position.*

Tout près d'où Gabriel et son unité étaient retranchés, une ferme touchée par des bombardements antérieurs fumait toujours. Une odeur âcre flottait dans l'air. Quelques vaches prises dans leur enclos beuglaient de longues lamentations. Les pauvres bêtes, abandonnées par leur propriétaire mort ou en fuite, avaient été laissées sans soins. Soudainement le mugissement des bombardiers alliés se fit entendre. À peine perceptible quelques secondes auparavant, l'escadron d'acier passait déjà au-dessus des troupes canadiennes. La force et la violence du bombardement étaient telles que jamais on n'aurait pu imaginer voir quiconque survivre à de telles déflagrations. Pourtant, les bombardiers venaient tout juste de se décharger de leur tonnes de bombes que, aussitôt, l'armée allemande savamment retranchée était déjà prête pour la contre-attaque. Les derniers obus éventraient encore le sol quand un officier cria aux hommes d'avancer. Comme des milliers d'autres, Gabriel se mit à courir. Avec une rage sans précédent, la mitraille allemande, qui tombait comme des grêlons, fauchait les hommes comme du blé. Les premières unités, celles qui étaient les plus rapprochées de l'aéroport, furent massacrées sans merci. Mais les ordres avaient été donnés et les troupes canadiennes ne pouvaient pas faire demi-tour. Terrifiés, le cœur près d'éclater, les hommes, les mains crispées sur leurs armes, avançaient au pas de course, le dos courbé. Quand trop d'entre eux tombaient, blessés ou morts, les autres se jetaient dans ces champs de blé qui leur montaient à la taille. Plaqués au sol, ils épousaient de leur corps les moindres aspérités du terrain pour protéger leur vie. Quelques secondes à peine s'étaient écoulées que les hommes se relevaient déjà et reprenaient leur course. Ramper sur une aussi longue distance était impossible. Ils n'avaient d'autre choix que de risquer leur vie et de continuer d'avancer. De loin en loin, on pouvait distinguer des soldats qui, par petites grappes, gagnaient constamment du terrain. Malgré tous les morts et les blessés qui tombaient à la dizaine, jamais l'ordre de battre en retraite ne fut donné. Les obus allemands qui tombaient comme de la pluie fauchaient plusieurs hommes à la fois, décimant les troupes. L'aumônier, étourdi, ne pouvait plus fournir. Il expédiait les formules saintes, donnait les derniers sacrements et courait au chevet d'autres mourants.

Gabriel, comme plusieurs soldats de son unité, progressait. Pendant quelques secondes, il crut même apercevoir la piste d'atterrissage de l'aéroport. Ils étaient tout près. Emporté par la peur et mû par l'adrénaline, il prenait même le temps de tirer quelques coups tout en courant. Malgré le bruit, la fumée, les rafales de mitraillette qui ne cessaient de frôler sa vie, aveuglément il fonçait droit sur l'objectif qu'on lui avait donné. Soudainement, il ressentit une douleur interne le mordre à la hauteur du genou. Il n'eut d'autre choix que de se jeter violemment au sol. Telle une piqûre d'insecte venimeux, la blessure donnait

une sensation de brûlure. D'un coup d'œil rapide, il vit quelques gouttes de sang qui perlaient au travers de son pantalon
déchiré. La balle n'avait fait qu'effleurer la chair. Ne prenant
même pas la peine de panser l'éraflure, en un bond il était déjà
debout et reprenait sa course. Encore sonné, le dos courbé, il
voulut rattraper les autres. Il ne fit pas plus d'une quinzaine de
mètres ; un obus explosa si près de lui que la force de la défla-
gration le projeta dans les airs. Son casque d'acier arraché de sa
tête, il se retrouva couché à plat ventre. Son visage mouillé de
transpiration était souillé de terre et de brindilles de blé déchiqueté. Confus, toujours sous le choc, il cherchait à reprendre
son souffle. Cette sensation de brûlure qu'il venait tout juste de
ressentir à son genou s'était multipliée à des dizaines d'endroits
sur son corps. Il avait mal partout ; au dos, aux jambes et au
cou. La douleur était si vive qu'il en aurait pleuré. Il toussait et
avait de la peine à respirer. Il cracha ce goût de terre qu'il avait
dans la bouche. Sa salive était rougie de sang. En voyant cela,
Gabriel prit panique. Il voulut se relever, mais son corps déso-
béissant demeura cloué au sol. Entêté et redoublant d'efforts, il
parvint à se tourner sur le dos. Mais l'effort fut si exigeant qu'il
crut un moment défaillir. Relevant légèrement la tête, il aperçut
le sang qui, par petits bouillons, s'échappait des blessures qui
lui déchiraient le ventre. D'une main tremblante, il explora son
ventre, tentant d'évaluer la gravité de ses blessures.

Lorsqu'il vit ses doigts maculés de sang, il eut pour la
première fois de sa vie peur de mourir. Une profonde coupure
au cou lui faisait atrocement mal. Horrifié, il se mit à crier sa
douleur avec ce qu'il lui restait de forces. Mais, autour de lui,
la bataille faisait rage et Gabriel ne faisait partie que de ceux
qui étaient tombés. Personne pour le moment n'entendait sa
détresse. Ses efforts restant vains, il se mit à pleurer doucement.
Il était épuisé et ses blessures, qui lui avaient déchiqueté le corps,
le vidaient tranquillement de son sang. À bout de forces, il ne put
repousser une lourde envie de dormir qui pesait sur lui. Il avait
beau se concentrer, ses paupières se fermaient d'elles-mêmes
malgré le soleil qui dardait sur ses yeux. Pendant un moment, il
perdit conscience. Puis, des pas de course qui s'approchaient le

ranimèrent. Une étincelle d'espoir vint éclairer son visage. Un soldat canadien plongea de tout son long à ses côtés. D'abord surpris de trouver quelqu'un allongé sur le dos et camouflé par les longues tiges de blé, il comprit aussitôt la situation. En constatant la gravité des blessures de Gabriel et tout ce sang qu'il avait perdu, il voulut le réconforter. Déposant son fusil un instant, il s'approcha tout près du visage de Gabriel, mouillé de transpiration.

— *Don't worry, it's nothing. The medics are following us. They will take care of you.*

Un obus éclata tout près d'eux, la terre retournée par l'explosion les recouvrit de poussière et de brindilles de blé. Relevant la tête, le soldat tenta rapidement de nettoyer la blessure de Gabriel, recouverte de saleté.

— *Damn! This one was close. I better move on. Hang in there buddy, you have to hang in there. They will take care of you.*

Gabriel n'eut pas assez d'énergie pour prononcer un seul mot, et l'autre, l'arme à la main, le dos courbé, repartit au combat en courant. Dans un ultime effort, Gabriel voulut se relever et le suivre. Cela était impossible. À chaque seconde qui s'écoulait, ses forces le quittaient. Il perdit à nouveau conscience.

Parfois une balle qui sifflait tout près le faisait sursauter, le ramenant du même coup à la réalité. Mais cette fatigue avec laquelle il se débattait était en train de l'achever. Alors que tout autour l'orage du combat ne donnait aucun signe d'accalmie, Gabriel, pendant de longues secondes, ne reconnut plus les bruits qui l'encerclaient. Ne le réalisant pas encore, il vacillait entre deux mondes. Curieusement, il croyait entendre de la musique, ou plutôt un petit air qui venait de loin, prenant tantôt de la force puis aussitôt s'affaiblissant, comme un murmure porté par une brise. Il ne reconnaissait pas cet air, mais cela lui faisait du bien. Ce goût de sang qu'il avait dans la bouche ne le quittait plus. Il avait beau essayer de cracher, rien n'y faisait.

La soif lui serrait la gorge. Il aurait tout donné pour tremper le bout de ses lèvres dans un peu d'eau froide. Mais sa gourde éventrée par un débris d'obus s'était vidée sur lui.

On approchait, ils étaient plusieurs, Gabriel en avait la certitude. Venait-on pour lui? Pour le sauver? Un sourire tenta de percer son visage défiguré par la douleur. Malheureusement, à peine perçu, le son de ces pas qui s'approchaient s'éloignait déjà. Soudainement une peur se mit à le hanter. Il avait entendu dire que certains officiers allemands ne faisaient pas de prisonniers, qu'ils fusillaient simplement l'ennemi capturé. Le fusillerait-on, lui, un soldat blessé? Pour se protéger, il chercha du coin de l'œil son fusil qu'il avait échappé en tombant. Il aperçut le canon, mais jamais il n'aurait pu l'atteindre, ni même le toucher du bout des doigts.

Il détourna la tête, effondré.

Pour se tenir éveillé et pour s'aider à tolérer la douleur, il serrait des poignées de terre dans ses mains poisseuses de sang. Soudain, un frisson fit trembler tout son corps. Le soleil qui pourtant plombait ne le réchauffait plus. Il ferma les yeux. Jamais il n'avait imaginé que l'on pouvait ressentir une telle fatigue. Le bruit du combat s'éloignait, pourtant il était encore tout proche. Sous son corps, il sentit le sol qui vibrait. Un char qui glissait à sa gauche n'était qu'à quelques mètres. Dans son délire, qui se refermait lentement sur lui, l'idée de se retrouver sous les chenilles du tank ne lui effleura même pas l'esprit. Il ne pouvait plus bouger, la soif lui brûlait la gorge, mais toutes ces douleurs physiques perdaient leur emprise sur lui. Ayant atteint sa limite, son corps n'enregistrait plus le mal. Dans ses soubresauts de conscience, il comprit que ce sommeil qui ne cessait de le harceler n'était rien d'autre que la fin qui s'annonçait. La vie pouvait-elle se terminer ainsi? «Ma vie prendrait fin ainsi? Je ne veux pas mourir comme ça; cloué sur le dos dans un champ de blé, sous le soleil de juillet, quelque part sur des terres françaises. Cela serait trop bête, ma vie doit avoir plus de sens que cela. Si je me concentrais et faisais un dernier effort, peut-être arriverais-je à fabriquer un pansement de fortune comme on nous l'a enseigné. Je pourrais sauver ma vie... au moins la prolonger de quelques heures en attendant l'arrivée des secours.» Mais la simple pensée d'un tel sacrifice le vida. Il pleurait doucement en priant qu'on lui vienne en aide. Cette envie de dormir qui le tenaillait reprit avec encore plus d'ardeur. Et cette fois, l'étrange musique qui allait et venait ne le quittait plus. Dans les derniers moments de cet état de semi-conscience, une foule d'images et de souvenirs se mirent à défiler en désordre et en rafales. Les visages de sa mère, de son père, de ses frères et sœurs s'entremêlaient les uns avec les autres. Différentes époques, différents âges se confondaient. Le visage de sa mère revenait constamment. À travers le bruit saccadé des mitraillettes et des ondes de choc que produisaient les déflagrations, du bout de ses lèvres livides, il l'appela à plusieurs reprises d'une voix inaudible.

Gabriel s'apprêtait à franchir une frontière d'où revenir était impossible. Sa course pour en finir avec la guerre, cette course désespérée contre la mort prendrait bientôt fin. Il avait perdu. Il sentait déjà dans son cou le souffle glacé de la mort. Pourtant, dans le monde, la vie continuait. Au moment où la vie allait quitter son corps, où pour lui tout s'arrêtait, ailleurs un nouveau-né voyait la lumière du jour, des couples faisaient l'amour, des hommes et des femmes travaillaient, riaient et se reposaient un moment en pensant à l'avenir. Quelque part, une fête rassemblait un village, on priait dans une église et des enfants jouaient dans une cour d'école ou se baignaient au bord de la mer. Malgré la furie de cette guerre mondiale, malgré les forces monstrueuses de destruction qui s'affrontaient, ailleurs, indifférente à l'horreur et à la barbarie, la vie suivait son cours. La vie était ainsi faite. Cette boucherie qui durait depuis quatre ans s'inscrirait dans l'histoire de l'humanité comme une autre tache de sang insignifiante. Tout le sang de l'humanité qui gorgeait les terres de toutes les nations n'y changerait rien. Le silence des fosses communes et des morts qu'on y enfouit emporte toujours avec lui les souffrances, les injustices et toutes les laideurs de la guerre. Quelques années à peine suffisent pour oublier l'horreur et, aussitôt, le grand manège se remet à tourner.

Gabriel, avec des milliers d'autres, était tombé pour la dernière fois. Il ne se relèverait plus. Si cette guerre se terminait par la paix, comme l'avait prédit son père, lui ne la verrait jamais.

Comme un film tirant à sa fin, toutes les images et tous les souvenirs s'estompèrent un à un. Il ne voyait plus rien, l'obscurité avait remplacé le jour. Au moment du dernier silence, cette musique qui n'avait cessé de tournoyer dans sa tête se transforma en une voix de femme. Cette voix, c'était celle de Camille. Il l'entendait, ce soir de veillée, réciter à voix haute ce poème de Rimbaud qu'elle tenait tant à mémoriser. Il revit son visage et ce sourire complice qu'elle lui avait lancé en refermant son livre. Par fragments, les vers s'envolèrent de ses lèvres comme des colombes.

> *Par les soirs bleus d'été, j'irai dans les sentiers*
> *Picoté par les blés, fouler l'herbe menue*
> *Rêveur, j'en sentirai la fraîcheur à mes pieds*
> *Je laisserai le vent baigner ma tête nue.*

> *Je ne parlerai pas, je ne penserai rien*
> *Mais l'amour infini me montera dans l'âme*
> *Et j'irai loin, bien loin, comme un bohémien,*
> *Par la nature, heureux comme avec une femme.*

À la fin du jour, lorsque les forces alliées arrachèrent l'aéroport aux troupes allemandes, les pertes en vies humaines étaient si nombreuses qu'un officier de l'armée canadienne nota dans son journal : « La bataille de Carpiquet sera reconnue comme le cimetière du régiment North Shore. »

Le décès de Gabriel Cormier fut officiellement confirmé à 14 heures le 4 juillet 1944. Quelques jours plus tard, l'armée en informait la famille Cormier par un simple télégramme.

Robertville, 1945

Au seuil de la nouvelle année, soit dans la nuit du 4 janvier 1945, Camille enfanta, dans les pires douleurs, d'un garçon d'apparence chétive. Le mal l'avait foudroyée tôt le matin et ne l'avait plus quittée. Adrienne Maillet, une sage-femme que l'on avait fait venir d'un village voisin, avait été prise d'inquiétude en entrant dans la chambre de Camille. Ce n'est pas tant la santé de la jeune femme qui la troubla, mais la profonde tristesse qu'elle put lire sur son visage. La sage-femme, qui avait aidé des centaines de femmes à accoucher, craignait des complications. «Pauvre petite, pensa-t-elle, le désespoir l'enveloppe comme un linceul.»

Monsieur DuRepos, qui était allé la chercher chez elle, n'avait fait aucune allusion au père de l'enfant pendant le trajet. Comme ses services avaient été sollicités dans la plus grande discrétion, madame Maillet avait déduit que l'enfant était illégitime. Elle avait l'habitude de ces situations délicates et se doutait de ce qui l'attendait. L'accouchement de ces jeunes mères célibataires n'était jamais facile. À bout d'énergie, minées par la honte, le sentiment de culpabilité, et souvent sans personne de leur famille pour les soutenir, elles souffraient le martyre pour mettre au monde ces enfants conçus hors des liens du mariage.

Une contraction arracha à Camille un cri qu'elle tenta en vain d'étouffer. Madame Maillet, témoin de cette souffrance inutile, ne put s'empêcher d'intervenir. Posant doucement sa main sur le front où perlaient des gouttes de sueur, d'un ton ferme mais sans faire de reproche, elle dit à Camille :

— Camille, ma petite, il ne faut pas retenir, laissez faire les choses, tout va bien aller, je suis là, écoutez-moi. Si vous voulez, serrez-moi la main, c'est ça, tenez-la bien fort. Quand le mal reprendra, n'ayez pas peur, il faut respirer profondément, n'essayez pas de cacher la douleur.

Malgré tout le courage dont elle faisait preuve, Janine, qui se tenait de l'autre côté du lit, se sentait impuissante. Elle tentait de venir en aide à sa fille de son mieux et par tous les moyens, mais elle ne trouvait ni les mots ni les gestes. Heureusement, la sage-femme, qui avait vu pire, avait pris les choses en main en entrant chez les DuRepos. Pour ne pas aggraver la situation déjà tendue, elle cacha à madame DuRepos ses doutes que l'accouchement pourrait être difficile. Ne voulant prendre aucun risque, elle avait toutefois recommandé à monsieur DuRepos de se tenir prêt à aller chercher le docteur White si jamais les choses se présentaient mal. Constatant l'anxiété causée par cette demande, elle rassura le couple en lui disant que cela n'était qu'une simple formalité.

— Se préparer pour le pire, c'est le meilleur moyen pour l'éloigner, avait-elle dit sur un ton qui se voulait réconfortant.

Après l'annonce du curé Thibodeau, faite du haut de sa chaire, Camille avait mis deux jours et deux nuits à se remettre du choc de la nouvelle. Dans les premières heures du malheur, Janine avait beau serrer la tête de sa fille contre son sein, rien ne semblait en mesure d'amoindrir son chagrin. Ensemble, elles avaient pleuré comme si Camille n'arriverait jamais à chasser sa douleur. Elle s'était enfermée dans sa chambre, refusant d'en sortir et de manger. Écrasée de désespoir, déchirée par la douleur et le doute de ce qu'elle deviendrait, elle pria toute la nuit pour que Dieu lui amène la mort avant le lever du jour. Le lendemain, les premiers rayons de soleil perçaient la fente de ses rideaux mal fermés, ramenant du même coup un autre jour et la vie. Dieu n'avait pas voulu d'elle et de son enfant. Camille n'eut alors même plus la force de pleurer. Elle gisait au bord de l'abîme, tout près de la folie.

Pendant des semaines, elle ne quitta plus la maison, n'aida plus son père dans la boutique et toucha à peine aux repas que sa mère montait à sa chambre, dont les rideaux étaient toujours tirés. Si parfois il lui arrivait de s'arranger un peu et de descendre au salon, son désespoir, pareil à une plaie ouverte, ne quittait plus son cœur. Elle s'assoyait au salon, silencieuse, répondant machinalement aux questions que lui adressait sa mère. Son regard absent, ses yeux rougis de toutes ces nuits écourtées de sommeil, sa peau pâle et son visage sans couleur lui donnaient l'apparence inquiétante d'une malade en phase terminale. Si elle se laissait glisser trop longtemps sur cette pente, bientôt les griffes du malheur la dépouilleraient de sa beauté.

Dans les premiers temps, Louis-Joseph se montra compréhensif vis-à-vis le deuil de sa fille; toutefois après plusieurs semaines, il en vint cependant à trouver que la chose commençait à s'étirer. Secrètement, il se demandait combien de temps cela durerait encore. Voir sa fille dans un état tel qu'elle pouvait à peine se tenir à table pendant les repas lui arrachait le cœur. «Peut-on aimer un garçon à ce point?» se demanda-t-il. Il avait de la difficulté à le croire.

Pendant cette période difficile, Janine fut un modèle de tendresse et de compassion pour sa fille. Mais bientôt, les événements qui se bousculaient viendraient éprouver l'amour qu'a en réserve une mère pour son enfant.

Devant l'ampleur du chagrin qui affligeait Camille, Janine, qui était plus intuitive que son époux, crut déceler l'ombre d'un second drame se cachant derrière la mort de Gabriel. Elle repoussait de telles pensées et les chassait de son esprit comme les plus vils intrus, mais le doute avait germé.

Même si elle en avait souvent fait le souhait, Camille ne mourut pas de chagrin. La douleur, aussi vive que le premier jour, semblait sans fin. Parce que son malheur était double, elle ne savait plus auquel se vouer. Attendre un enfant de celui qu'on vient de perdre était un poids qu'elle ne pouvait plus porter seule. Le matin, dans sa chambre, elle examinait son ventre nu devant la glace, cherchant le moindre signe d'un changement. Le soir, c'était la sensation de ce sang qui mouillerait son entre-jambe qu'elle souhaitait de tout son être. Mais elle n'avait plus ses règles depuis des mois déjà.

Une nuit où Camille était légèrement fiévreuse, des cauche-mars vinrent troubler son sommeil. Sa mère, toujours inquiète de l'état de santé de sa fille, décida de la veiller. C'est au cœur de cette nuit que Janine apprit le drame qui frappait non seule-ment sa fille, mais toute la famille. Vers quatre heures du matin, Janine, qui s'était assoupie sur une chaise, fut brusquement réveillée par sa fille qui, agitée par un mauvais rêve, s'était mise à parler à voix haute. Pour la calmer, elle lui avait pris la main. C'est à ce moment que, dans son délire, Camille dit cette phrase qui laissa sa mère de glace :

— Seigneur, je vous en supplie, reprenez cet enfant et redonnez la vie à Gabriel ; pour tout l'amour du ciel, redonnez-le-moi !

Janine, effondrée, ne pouvait croire que sa propre chair était tombée ainsi en disgrâce. Devant une telle aberration, elle se mordit la lèvre jusqu'au sang. Puis d'un bond, elle sortit de la chambre. Dévalant l'escalier, elle se jeta sur le canapé du salon en pleurant. Le lendemain matin, malgré son état lamentable, elle confronta sa fille. Camille, comme une agonisante à qui l'on demande un effort insurmontable, ne put rien cacher à sa mère. En larmes, elle avoua tout, criant son malheur. Janine, qui jusque-là était restée de marbre, s'écroula. En un instant, tous les rêves, toutes les ambitions, tous les projets qu'elle nourrissait pour sa fille unique s'étaient à jamais envolés. Elle avait cette impression insupportable qu'on venait de lui voler le plus pur et le plus beau d'elle-même. Camille était souillée, qu'adviendrait-t-il d'elle désormais?

En entendant crier, Louis-Joseph s'était précipité hors de sa chambre. Mais devant la porte fermée, il s'arrêta. Quelque chose le retenait de l'ouvrir. Il descendit au premier étage faire du feu dans le poêle de la cuisine. C'est là que, quelques minutes plus tard, son épouse encore blême et tremblante le mit au courant de ce que leur fille avait en vain tenté de cacher. Après la crise, les cris, les larmes, les coups de poing sur la table, les longs silences et les questions sans réponse, Louis-Joseph n'eut d'autre choix que d'accepter l'inévitable. Pragmatique, il fit des démarches pour que sa fille rencontre le docteur White le plus tôt possible. Camille, tel un pantin, obéit sans manifester la moindre émotion. Deux jours plus tard, le docteur confirma la grossesse et put même prédire la date de l'accouchement.

Avec sa grossesse qui avançait, Camille se faisait de plus en plus discrète. Son absence de la boutique, la tristesse qui marquait son visage et son corps qui changeait provoquaient bien des ragots dans le village. Le fait que Janine ait manqué plusieurs grands-messes et que l'orgue soit resté silencieux confirmait pour plusieurs que quelque chose d'anormal se passait dans la famille DuRepos. Les curieux, toujours avides du malheur des autres, trouvaient là un sujet intéressant sur lequel médire. Pourtant, ce n'étaient pas tant les commérages qui empêchaient Camille de sortir que cette profonde apathie qui la privait de toute énergie. Elle n'avait que faire des regards sentencieux des gens du village. Enfermée dans cette morosité depuis des mois, elle s'était blindée contre ce que pouvait dire ou penser l'entourage. Depuis ce dimanche où elle avait appris la mort de Gabriel, la vie n'était plus pour elle qu'un film étrange aux images manquantes, saccadées, morcelées et fragmentées en petits morceaux qu'elle tentait de reconstruire. Lucide comme son père, elle savait le genre de vie qui attendait son enfant et elle. L'avenir, cette vision sombre, sapait le peu d'énergie qui lui restait.

La sœur de Janine, Juliette, qui habitait Montréal, offrit de prendre Camille chez elle le temps de la grossesse. Même si cela n'était qu'une solution temporaire, Janine était prête à accepter la générosité de sa sœur. Louis-Joseph ne voulut rien entendre d'expatrier sa fille à Montréal. Les gens pouvaient dire ou penser ce qu'ils voulaient, la vie de sa fille ne concernait personne d'autre qu'elle-même. Janine eut beau plaider que dans les circonstances, la proposition de sa sœur était raisonnable et qu'il fallait l'accepter, Louis-Joseph se montra intraitable et demeura sur sa position. Le risque qu'un tel scandale pourrait ternir sa réputation et nuire à son commerce ne lui traversa même pas l'esprit.

— Si la volonté de Camille est de partir, je respecterai sa décision. Mais si c'est pour sauver la face, la question ne se pose même pas. C'est non!

— Tu n'es pas raisonnable. Camille ne sait même plus où elle en est, comment veut-tu qu'elle prenne une telle décision?

— Justement, si elle ne peut pas prendre de décision, c'est à nous d'organiser les choses pour elle. La cacher pendant six mois dans les appartements de ta sœur pour qu'elle revienne avec un enfant... Jamais! Elle est ici, elle y reste.

Ainsi fut-il décidé. Camille accoucherait à Robertville.

Le reste de sa grossesse se déroula dans le silence, la honte et cet insupportable sentiment de culpabilité d'avoir commis l'irréparable. Pendant ces longs mois, jamais le nom de Gabriel ne fut mentionné. Si toutes les évidences pointaient vers lui, personne ne le confirmait. Dans son accès de colère, le jour où il avait appris la nouvelle, Louis-Joseph avait fait allusion au jeune soldat. Mais Camille, stoïque, n'avait pas bronché. Janine avait calmé son époux en expliquant que même si c'était Gabriel le père, cela ne changerait rien. Camille n'exprima aucune opinion dans un sens ou dans l'autre. Elle gardait ce secret pour elle et pour l'enfant. Personne ne pouvait plus rien changer à sa situation. Celui qu'elle aimait avait disparu, elle attendait son enfant ; pour le reste, pour ce que lui réservait l'avenir, elle s'en remettait à Dieu.

Dès son premier contact avec le monde extérieur, l'enfant poussa un cri. Madame Maillet s'empressa de laver le nouveau-né avant de l'emmailloter dans une couverture épaisse. Malgré un accouchement long et pénible, Camille était hors de danger. Quelques jours de repos complet lui redonneraient toutes ses forces. Avant de partir, la sage-femme eut une conversation avec Janine seule, dans le salon. Consciente que les DuRepos étaient des gens bien et que la venue de cet enfant n'était pas voulue, elle tenait à leur prodiguer un conseil.

— Madame Durepos, vous n'avez plus à craindre pour la santé du petit et pour votre fille. L'accouchement fut difficile, mais les deux sont forts et ne devraient pas rechuter. Elle lui a donné le sein deux fois déjà et le petit mange comme un ogre, il n'y a pas de meilleur signe. Je ne suis pas médecin, mais après toutes ces années, je commence à m'y connaître en bébés. Maintenant, je ne tiens pas à mettre mon nez dans vos affaires, mais j'aimerais partager quelque chose avec vous.

À ces paroles, tout le corps de Janine s'était raidi et on put lire un malaise sur son visage. Aucunement intimidée et pleine d'une confiance tranquille, la sage-femme, plutôt que de reculer, s'approcha de Janine et toucha ses mains jointes avant d'exprimer le fond de sa pensée.

— Les prochains mois risquent d'être une période difficile pour toute votre famille. J'ignore le sort que vous réservez à cet enfant, mais si vous croyez en Dieu, priez. Priez tous les jours. Dans le cœur de la tempête, on peut parfois poser des gestes que plus tard on regrettera. Un enfant, c'est une merveille de la nature, un miracle de la vie. Tout ce dont il a besoin pour grandir c'est de l'amour, peu importe les circonstances de sa conception. N'oubliez jamais que le petit n'a rien demandé, lui. Mais désormais, que vous le vouliez ou non, il fait partie de votre vie, c'est votre sang. Que vous le donniez à la crèche ou non, cela ne changera rien, il restera dans vos pensées et dans celles de sa mère, croyez-moi, j'en ai trop souvent été témoin pour me tromper. Votre Camille, pour le moment, elle est perdue, c'est une évidence; mais c'est une femme forte et bonne, ça se sent, ces choses-là. Vous devez l'accompagner et ne jamais perdre espoir, même dans les moments les plus noirs. Elle s'en sortira, vous verrez. Les voies du Seigneur sont impénétrables, je ne peux rien dire là-dessus, mais le temps finit par arranger les choses. Ce n'est pas très original ce que je vous raconte, mais c'est la vérité; et la vérité, elle est souvent toute simple, pas besoin de fréquenter les grandes écoles pour reconnaître le gros bon sens.

À son tour, Janine, après une hésitation, serra la main de la sage-femme pour la remercier de ses bonnes paroles. Sans rien dire d'autre, madame Maillet enfila son manteau, releva son capuchon et sortit dehors rejoindre Louis-Joseph, qui l'attendait sous une faible neige qui tombait avec lenteur.

Le temps passa. Physiquement, Camille prit du mieux. Et cette nouvelle vie qu'elle avait introduite dans la demeure de ses parents avait amené avec elle une joie et un bonheur que Janine et Louis-Joseph avaient crus impossibles. Devant le visage de l'innocence, il était impossible de ne pas s'attendrir.

Les premières semaines, Camille n'avait pas assez de forces pour s'occuper de son enfant, et c'est sa mère ou son père qui, tour à tour, prirent charge du bébé. Ils le lavaient, l'habillaient, le berçaient pour l'endormir et se promenaient avec lui dans la maison pour calmer ses pleurs. Ils furent les premiers à le faire sourire et à lui soutirer quelques réflexes confirmant qu'il reconnaissait leur présence. En un rien de temps, ces liens invisibles de l'amour qui se tissent entre des grands-parents et leur petit enfant se resserrèrent pour ne plus jamais se défaire. Pour les DuRepos, il n'existait plus aucun doute, l'enfant faisait désormais partie de la famille. Le 25 février 1945, sans grande cérémonie, il fut discrètement baptisé et on l'appela Émile

Joseph DuRepos. Sur l'acte de naissance, le père Thibodeau inscrivit : père inconnu.

Tranquillement, la vie reprit son cours. À la boutique, les rares clients qu'emmenait l'hiver avaient fini par s'habituer à l'absence de Camille. Janine, sans donner plus d'explications, avait recommencé à jouer de l'orgue à la grand-messe du dimanche. Seul l'état de Camille, bien que stable, continuait d'inquiéter. Comme l'avait prédit la sage-femme et l'avait confirmé le docteur White, il y avait déjà un bon moment qu'elle avait repris toutes ses forces et recouvré la santé. Toutefois, depuis l'accouchement on ne pouvait que s'attrister de cette impression d'abattement qui l'enveloppait. Elle s'occupait de son enfant, en retirait un certain bonheur, mais sans plus. Elle n'éprouvait pas de joie, elle ne souriait plus. Parfois, en nourrissant son fils elle semblait complètement détachée, tel un être sans âme, de ce geste qui donnait la vie. En voyant cela, Janine avait le cœur brisé. Louis-Joseph tentait de son mieux de la rassurer en lui répétant que c'était temporaire. Étant donné les circonstances, il fallait laisser le temps aux blessures du cœur de se cicatriser. Janine y voyait autre chose. Elle avait peur pour la santé du petit, qui n'avait que ses larmes à donner pour attirer l'affection de sa mère. Mais très vite, par instinct, l'enfant sembla comprendre que ses pleurs resteraient sans appel. Si Janine et Louis-Joseph tentaient par tous les moyens de pallier ce manque d'amour en offrant à leur petit-fils toute l'affection dont ils étaient capables, ce lien maternel lui manquait de toute évidence cruellement. Le petit Émile voulait recevoir davantage de sa mère. Mais Camille donnait déjà tout l'amour dont elle disposait.

Le soir, pour endormir son fils, elle le berçait dans sa chaise. Une fois l'enfant dans son berceau, elle soufflait la bougie et restait assise dans le noir à attendre que le sommeil vienne. À moitié endormie, elle trouvait la nuit plus clémente que le jour pour aider à supporter sa solitude. Parfois, plongée dans le silence de sa chambre, enveloppée de son châle, elle approchait son visage des carreaux de la fenêtre aux vitres glacées. Elle contemplait la nuit, comme attirée par les ténèbres.

À l'approche de Pâques, on voyait l'hiver donner ses premiers signes d'affaiblissement. Mais Camille, au cœur de sa grisaille, n'attendait plus rien de la lumière du printemps. Avec la mort de Gabriel et la naissance de son fils, quelque chose en elle s'était brisé. Le fil mystérieux qui la tirait vers son avenir s'était rompu. L'essentiel de ce qui devait donner un sens à son existence s'était évanoui en un souffle, de sorte qu'elle n'attendait plus rien de la vie. Elle ne ressentait ni haine ni vengeance et, il y avait encore peu de temps, ce goût de mourir qui l'avait tant tourmentée s'en était allé. Pareille à ces feuilles qui, l'automne, sont arrachées par les grands vents et se retrouvent dans la rivière, Camille, impassible, se laissait emporter par le tourbillon de l'inconnu, ignorant où le courant l'amènerait. Elle ne croyait plus en Dieu. S'il n'était qu'amour et bonté, comment pouvait-il imposer de telles épreuves ? Confrontée à tant de malheur, elle préférait détourner son regard.

Pendant que Camille vacillait entre la vie et l'indifférence, à quelques kilomètres de chez elle, madame Cormier prenait soin de son fils rapatrié au pays, le corps meurtri par la guerre.

Le 10 août 1944, Paul avait été grièvement blessé. Il avait frôlé la mort dans la brèche menant à la petite ville de Falaise, située à une cinquantaine de kilomètres au sud-est de Saint-Aubin-sur-Mer. En plein combat, il était tombé sous la mitraille allemande. Après avoir été touché par trois balles qui l'avaient atteint à l'abdomen, il s'était relevé et s'était mis à courir, cherchant un abri. Dans sa course, il avait reçu deux autres balles dans le dos. Après, il ne se souvenait de rien. Il avait repris conscience dans un hôpital français où il était resté pendant huit semaines, au seuil de la mort. Par miracle, on l'avait sauvé, mais son état demeurait sérieux. On le transféra par avion dans un hôpital anglais où il dut subir plusieurs opérations chirurgicales pour sauver son ventre en charpie. C'est là, sur son lit d'hôpital, alors qu'il luttait pour sa vie, qu'on lui avait appris la mort de Gabriel. Le corps brisé et le cœur malade de chagrin pour son frère disparu, Paul n'avait plus aucune utilité pour l'armée. Comme tous ces jeunes hommes que les combats broyaient mais n'achevaient pas, on lui donna sa décharge militaire. Les médecins les plus optimistes lui prédisaient une vie à peu près normale, les autres croyaient qu'il ne verrait jamais ses quarante ans.

Il était rentré au Canada à la fin de l'été de 1944.

Ravoir son fils à la maison, même gravement blessé, permit à madame Cormier d'accepter la mort de Gabriel. Elle était inconsolable depuis des mois, et la nouvelle que Paul, son plus vieux, était vivant et qu'on le rapatriait au pays l'avait sauvée. Pendant toute sa convalescence, nuit et jour, elle prit à sa charge de lui prodiguer les meilleurs soins possible. Paul était revenu du front tellement faible et tellement fragile que cela prit plus de huit mois avant qu'il ne retrouve ses forces d'antan. Inlassablement, ne ménageant aucun effort, sa mère ne se consacra plus qu'à une seule cause, sauver son fils. Dans la tête de cette femme, il était clair que redonner la santé à Paul, c'était venger la mort de Gabriel. C'était cette logique qui dictait ses faits et gestes. Pour ce faire, elle s'était soustraite de toutes les tâches de la maison qui l'auraient éloignée de sa mission. Devant la besogne supplémentaire, aucun de ses enfants n'exprima la moindre plainte. Monsieur Cormier, de toute son autorité de père, leur avait rappelé que le plus important était la santé de leur frère aîné. Leurs petites misères personnelles n'étaient rien en comparaison de ce que Paul et Gabriel avaient enduré.

Camille taisait toujours le nom du père de son fils. Il était tombé autour de la naissance de cet enfant le poids du non-dit. Au village et dans les environs, ceux qui voyaient tout s'étaient déjà forgé une opinion sur ce mystère. On rapportait malicieusement que le fils des Cormier de Saint-Laurent, celui qui était mort dans les vieux pays, on l'avait souvent vu au bras de la fille du photographe. Certains s'empressaient d'ajouter que pour la belle Camille, même si elle aurait pu avoir des prétendants à la pelletée, un seul galant avait compté, et c'était Gabriel.

Chez les Cormier, pendant toute la convalescence de Paul on n'ébruita jamais cette rumeur qui courait sur Gabriel. Le sujet était tabou. Un soir, allongé dans son lit, monsieur Cormier, loin d'être en paix avec tous ces cancans, osa soulever la question auprès de son épouse. Mariette lui ordonna de se taire. Elle l'aurait giflé que cela aurait eu le même effet. D'un ton acerbe, elle répondit froidement :

— Avant de salir la mémoire de Gabriel, laisse-moi sauver mon fils. Toutes ces saletés, toutes ces mauvaises langues, ça peut attendre.

Déçu mais peu surpris de la réaction de son épouse, Edmond, qui ne voulait pas la contrarier, n'insista pas davantage. Comme elle, il fit semblant d'ignorer la vérité qui s'étalait devant eux.

À l'été de 1945, Paul était en bonne voie de rétablissement. Il mangeait bien et les cauchemars de guerre qui, la nuit, troublaient son sommeil et lui arrachaient même des cris d'horreur, se faisaient plus rares. Malgré ses jambes amaigries, il sortait de plus en plus souvent dehors pour prendre de longues marches. Son corps était encore frêle mais il retrouvait tranquillement son appétit du temps des chantiers. Lorsqu'il proposa d'aider son père pour l'entretien du jardin, il ne faisait maintenant plus de doute que sa guérison complète était pour bientôt. Monsieur Cormier, encouragé par le rétablissement de son fils, avait dit au souper, devant tous ses enfants : « Un homme qui veut travailler, c'est un homme qui veut vivre. » Les premières fois, Paul travailla avec lenteur, se reposant souvent. Comme un vieillard, il entrecoupait son ouvrage de petites pauses, puis reprenait sa besogne avec entrain. Même si ses débuts de vie normale étaient modestes, son progrès était constant.

Quelques amis restés fidèles l'invitèrent à sortir pour faire la fête. Les premières fois, il refusa ; mais après quelques hésitations, il finit par accepter leur invitation. S'il était encore le centre d'attention par son humour et sa bonne humeur, quelque chose en lui avait changé. Parfois, venus de nulle part, une pensée, une image, un souvenir douloureux traversaient son esprit, assombrissant aussitôt son visage. S'il s'efforçait de mater ses idées noires, il restait agacé pendant de longs moments par ce qu'elles avaient éveillé. Peu de gens autour de lui remarquaient ces brusques changements d'humeur. Mais sa mère en était consciente. Elle avait vu le même mal marquer un cousin qui avait fait la Première Guerre. Les poumons brûlés par les gaz allemands, il avait été vite délivré de ces souvenirs d'horreur. Deux ans à peine après son retour des champs de bataille d'Ypres, il avait été emporté par ce que les médecins avaient qualifié d'insuffisance pulmonaire. Elle préféra taire les démons avec lesquels son fils se débattait encore. Elle fit la même chose avec ces bouteilles de whisky qu'il dissimulait sous son lit.

Avec Paul qui prenait du mieux, madame Cormier fut libérée des soins qui avaient occupé tout son temps. À l'été, elle put reprendre ses habitudes et tenir maison comme auparavant. C'est à ce moment que la vérité qu'elle avait repoussée de son esprit pendant des mois revint à la charge comme une vengeance. Cette fois, elle ne pourrait plus fuir. De plus en plus souvent, ses pensées étaient hantées par la fille du photographe et cet enfant que personne ne voyait. La rumeur qui n'avait cessé d'unir leurs familles et le malheur qui les affligeait tous en silence persistait. Se cacher derrière les mensonges n'avait jamais été dans sa nature. Par respect pour Gabriel et pour l'amour qu'il avait eu pour Camille, mais surtout pour le bonheur de cet enfant qui les liait, le temps était venu pour elle d'intervenir.

Le dernier dimanche du mois d'août, après la grand-messe, Mariette Cormier sortit de l'église décidée et se rendit droit chez les DuRepos. Son époux et Paul étaient à la maison pour s'occuper d'une vache malade. Elle ordonna aux bessonnes de garder les garçons tranquilles et de l'attendre dans la carriole restée dans l'ombre du grand clocher. Ses filles, obéissantes et soumises, n'auraient jamais osé questionner leur mère pour savoir ce qu'elle allait faire chez le photographe un dimanche matin. Et cette femme de petite taille, au corps usé d'avoir élevé sa famille dans la quasi-misère, prit sur elle seule d'affronter une fois pour toute la vérité. Debout et bien droite sur la dernière marche du perron de la boutique, elle frappa trois coups secs et fermes. Malgré la pauvreté de ses habits du dimanche, de sa robe de printemps propre mais démodée, il se dégageait de cette femme une dignité et un courage devant lesquels personne n'aurait pu feindre l'indifférence.

C'est à cette image que Janine, qui ne se serait jamais attendue à pareille visite, fit face en ouvrant la porte. Sans même en prendre conscience, elle recula d'un pas, décontenancée. Au bout d'un moment, la surprise dissipée, elle se ressaisit aussitôt. Mariette Cormier n'eut pas la chance de se présenter ni même de placer un mot. Janine, sur la défensive, s'abstenant de toute fausse politesse, exprima prestement sa pensée. Même si Gabriel et Camille s'étaient fréquentés pendant presque deux ans, les deux familles ne s'étaient jamais rencontrées. Camille avait souvent insisté pour que Gabriel lui présente ses parents. Il prétextait qu'il était encore trop tôt, qu'il ferait des invitations après la guerre pour que tous apprennent à se connaître. La vérité était tout autre. Gabriel avait honte de sa pauvreté et ne tenait aucunement à la montrer aux DuRepos.

Les deux femmes, du temps des fréquentations, se saluaient poliment de loin, sans plus. Mais ce matin-là, en un seul regard elles échangèrent le contenu de toute une vie.

Janine parla la première :

— Si vous êtes venue ici pour nous adresser des reproches, vous perdez votre temps. Vous avez vos malheurs, nous avons les nôtres. Ce qui est fait est fait, on ne pourra pas retourner en arrière.

Mariette ne fut aucunement écorchée par l'accueil, car elle s'attendait à ce que cette rencontre soit difficile. Elle répondit avec tact, sans hésitation.

— Madame, je n'ai aucun reproche à faire à qui que ce soit de votre famille, ni jugement à porter. J'ai simplement une faveur à vous demander. Vous pouvez me la refuser, c'est votre droit, mais cela me briserait le cœur. Pour l'amour de mon fils, qui a aimé votre Camille, j'aimerais les voir, elle et l'enfant. Quelques minutes, c'est tout ce que je demande, après vous n'entendrez plus parler de moi.

Janine, les mains jointes, fixait cette femme sans rien dire. Touchée par autant de détermination, elle ne savait quoi répondre. Devant ce silence et redoutant un refus, Mariette reprit, sur un ton qu'elle s'efforça de garder naturel :

— Madame DuRepos, j'ai un fils à la maison qui s'est débattu pendant des mois entre la vie et la mort, son frère est enterré quelque part en France, il n'avait que vingt-quatre ans. Votre fille se retrouve seule avec un enfant. Nous avons tous trop souffert, inutile de nous faire davantage de mal. Que Dieu me crève les yeux si je mens ! Je ne vous veux aucune misère, donnez-moi quelques minutes avec votre fille, est-ce trop demander ? S'il vous plaît, ne me fermez pas votre porte.

Elle, toujours si forte, souvent dure, était au bord des larmes. Janine, à court d'arguments, ébranlée par cette sincérité, plia. Elle fit entrer madame Cormier et ferma doucement la porte.

— Attendez ici, je vais monter voir.

Janine fit quelques pas et se retourna avant d'ajouter :

— Je ne peux rien vous promettre. Depuis l'accouchement… depuis la naissance d'Émile, ma fille n'est plus la même. Ce n'est pas sa santé, elle se porte bien, mais… enfin, vous verrez par vous-même.

Au bout de quelques minutes, Janine était redescendue. Elle fit alors signe à Mariette de monter.

— La porte de sa chambre est ouverte. Elle a bien voulu vous voir.

Camille était assise dos à la porte, dans sa chaise berçante, un livre sur ses genoux. Elle regardait dehors, immobile. Malgré la chaleur dans la chambre, un beau châle de dentelle blanche lui couvrait les épaules. Ses cheveux noirs étaient nattés en une longue tresse. L'enfant dormait dans son berceau, la bouche à peine entrouverte. En entendant les pas de madame Cormier s'arrêter derrière elle, Camille lui demanda d'une voix éteinte, sans même se retourner :

— Apparemment, vous vouliez voir quelque chose.

— Je suis la mère de...

— Je sais très bien qui vous êtes, coupa brusquement Camille d'un ton glacial. Qu'est-ce que vous voulez ?

— Rien ! Je ne cherche rien. Je voulais voir l'enfant, c'est tout. Il dort ?

— Oui, il dort.

— Puis-je le prendre ?

Après un moment que Mariette trouva interminable, Camille, qui mesurait silencieusement les conséquences de cette demande, d'un signe de tête donna son accord. Mariette posa son sac à main et souleva avec délicatesse le petit être qui dormait, recouvert d'une légère couverture de coton rose. L'enfant au visage rond et joufflu, au contact d'une chaleur humaine qui n'était pas celle de sa mère, se mit soudainement à battre des cils pour quitter son sommeil. Mais les yeux à peine ouverts, les paupières alourdies de fatigue, il se rendormit aussitôt. Posée sur l'épaule de Mariette, sa petite tête recouverte d'un mince duvet blond tomba mollement sur le côté. Dans un doux balancement, elle le serrait avec tendresse. Si personne n'avait voulu parler, si on avait tenté de dissimuler la vérité, Mariette avait vu ce qu'elle avait toujours su. Les yeux du bébé étaient ceux de Gabriel. Plus rien ni personne ne pourrait lui prouver le contraire. Sentir cette minuscule vie sur son épaule, sentir ce souffle chaud lui caresser le cou, c'était comme si elle tenait son fils dans ses bras. Embrassée par la lumière du jour, elle pleurait en silence. C'était une scène où la vie et la mort s'entremêlaient. Pendant quelques secondes, on aurait dit que le temps s'égrenait dans l'éternité. À baigner dans pareil bonheur, Mariette aurait donné sa vie pour emporter cet enfant avec elle. Elle l'aurait inondé d'amour, de cet amour dont la mort de Gabriel l'avait privée. Mais avant qu'il ne soit trop tard, avant qu'elle n'emprunte une voie d'où le retour aurait été impossible, elle déposa l'enfant endormi dans son berceau. Du bout des lèvres, elle effleura son front. Avant de s'éloigner, fermant les yeux, elle s'imprégna une dernière fois de ce parfum si singulier qui embaume le corps des nouveau-nés.

En se redressant, Mariette eut cette réflexion :

«Dieu nous donne ceux qu'on aime et les reprend selon son bon vouloir, mais à sa manière, dans toute sa bonté, il peut nous les redonner.»

Cette vérité, elle venait de la voir au creux de ces petits yeux bleu, pleins de vie et d'avenir. Elle se sentait transformée : le fardeau de cette douleur et de ce chagrin qui la minaient depuis des mois, sans pour autant s'être évanoui, s'était soudainement atténué. Une nouvelle vague de courage la pénétrait, lui redonnant du même coup des forces qu'elle croyait épuisées.

Camille, témoin muette de ce qui s'était passé entre son fils et la mère de Gabriel, ne put rester indifférente. Comme quelqu'un qui sort d'un long coma, elle se retourna lentement pour mieux voir cette femme pour qui elle n'avait pas daigné manifester la moindre courtoisie. Absorbée par l'intensité du regard qu'elle jetait sur son fils, elle ne se rendit même pas compte que le livre posé sur ses genoux avait glissé de sa robe et était brusquement tombé sur le plancher. Mariette s'apprêtait à quitter la chambre lorsque Camille, d'une voix suppliante qui aurait ému un cœur de pierre, demanda :

— Qu'est-ce que nous allons devenir, mon fils et moi... j'ai tout perdu, madame Cormier, tout !

Cette femme, pourtant peu encline à exprimer ouvertement toute forme d'affection, s'approcha de Camille. D'un geste simple, mais rempli d'une compassion infinie, elle prit entre ses mains ravinées ce visage mouillé par les larmes. À voix basse, comme si les anges lui soufflaient les mots, elle se mit à parler :

— Il vous reste la vie, la vôtre et celle du petit. Il a besoin de vous ; sans père, il aura besoin de plus d'amour que les autres enfants. Vous êtes jeune, vous avez la santé, l'argent n'est pas un problème, il vous faut trouver le courage pour continuer... il le faut. Toutes les réponses de toutes les questions qui nous rongent sont en vous. La vie ne nous fait pas que des cadeaux. Si Dieu nous donne des enfants, c'est pour qu'ils grandissent. Vous avez de l'amour, vous en avez plein les yeux, on le voit tout de suite. Il faut tourner la page, Camille, tourner la page de ce mauvais livre. Pour l'amour du petit, pour le repos de Gabriel, je vous en supplie, donnez une chance à cet enfant d'être heureux.

Longtemps après le départ de madame Cormier, Camille demeura bouleversée. Cette visite était venue troubler ce semblant de quiétude à l'intérieur de laquelle elle s'était murée. Pendant plusieurs jours, elle éprouva une haine pour cette femme qui s'était introduite dans sa vie et avait tout chambardé. Parfois, elle croyait la détester, mais dans la confusion des sentiments qui l'animaient, des choses nouvelles se dessinaient. La visite de madame Cormier et les paroles qu'elle avait dites faisaient leur chemin, de façon sournoise.

Un soir, après avoir donné le bain au petit et l'avoir couché pour la nuit, elle entra dans le bureau de son père. Elle en ressortit avec un encrier, une plume et des feuilles qu'elle posa sur sa table de chevet. Son fils endormi pour la nuit, elle se mit à écrire sous le cercle de lumière jaunâtre de la lampe à pétrole. D'un jet, elle écrivit une première phrase d'une écriture nerveuse, aux lettres à peine formées. Elle s'arrêta brusquement, regarda l'encre pénétrer le papier, lut et relut ces quelques mots, puis se remit au travail. Telle la sève qui au dégel du printemps se remet à courir dans toutes les branches de l'arbre, Camille, depuis des jours, sentait monter en elle des mots qu'elle n'avait d'autre choix que de coucher sur du papier. Au début, les mots rétifs vinrent difficilement, ils se présentaient un à un, sans rythme ni musique. Ils tombaient pêle-mêle sur les feuilles, se bousculant les uns les autres. Les bouts de phrases semblaient chercher leur sens, trop détachés qu'ils étaient les uns des autres, comme des orphelins. Obstinée, Camille continuait d'écrire par saccades, raturant un mot, et parfois toute une phrase. Ainsi, pendant une partie de la nuit, les feuilles noircies d'encre s'accumulèrent sur le plancher de la chambre. Mais avant qu'elles touchent le sol, Camille recopiait soigneusement au propre les mots, les phrases et même les paragraphes entiers dont elle était satisfaite. Sans relâche, dictée par une voix intérieure, elle cherchait les mots justes et le rythme de son discours. Il était près de trois heures du matin lorsque, épuisée, les yeux rougis de fatigue, elle posa finalement sa plume. Ses doigts tachés d'encre, elle prit délicatement les quatre feuillets sur lesquels les mots s'alignaient avec rigueur et discipline. Elle ferma les yeux pendant un long moment pour se recueillir et se relut une dernière fois :

Cher Gabriel,

Depuis ton départ, j'ai tant souffert et souffre encore tellement que ma main tremble à chacun des mots que je t'écris ce soir. Longtemps, j'ai cru que rien ne parviendrait à modérer cette douleur qui m'a brisé le cœur. Mais depuis quelques semaines, depuis la visite de ta mère, étrangement, je ne rêve plus à toi et tous ces détails du temps que nous avons passé ensemble qui me venaient en foule s'évanouissent. De jour en jour, les traits de ton visage et les détails de ton profil deviennent de plus en plus flous, comme si le temps avait fini par user les souvenirs. J'ai beau fixer ta photo dans ton bel uniforme, je ne retrouve plus ton regard. Si la plaie est encore vive, peu à peu l'éloignement, comme un baume, commence enfin à calmer ma blessure. Suis-je guérie de toi ? Je n'en sais trop rien, mais j'ai cette impression incompréhensible que tu me quittes pour la seconde fois.

Parfois, la nuit, on jurerait que le vent qui glisse entre les buissons du jardin murmure ton nom. Malheureusement, rien ne peut le retenir. De toi, c'est tout ce qu'il me reste, le silence et l'in-

visible. Pendant des mois, j'ai tout fait pour taire ce silence, pour qu'il me laisse un peu de paix pour respirer, pour vivre. Pendant des mois, j'en ai voulu à Dieu de nous avoir volé cette promesse de bonheur. Puis, je t'en ai voulu à toi... oui, à toi, Gabriel. Je t'en voulais de m'avoir quittée, de m'avoir abandonnée avec nos projets et tous ces rêves inachevés. Notre amour, ce chemin qui devait être le nôtre, la guerre l'a détruit et désormais, j'avance seule.

Ce n'est pas ce que les autres pensent, ni les bruits qui courent qui m'ont fait le plus de mal, mais ton absence. C'est ce vide qui a laissé ma vie en ruine. La nuit, dans mon lit, tes bras, la chaleur de ton corps, ta main sur mon ventre, le murmure de ta voix dans mon cou me manquent, c'est cela, l'insupportable. Tu savais aimer, Gabriel. Toutes ces choses, à peine effleurées, que nous allions découvrir ensemble se sont décimées. Heureusement, depuis la naissance d'Émile, ce trésor que nous avons fait ensemble, je commence à comprendre certaines choses. Tu nous as quittés trop vite, si tu pouvais voir ton fils qui dort près de moi, il a tes yeux, ton front, il est déjà beau. Dommage qu'il ne puisse jamais sentir tes bras le serrer. Oui, la mort t'a fauché beaucoup trop tôt.

J'ai l'espoir que là où tu es, tu n'as plus de mal et que toutes les horreurs de la guerre se sont enfin évanouies. Je t'ai tellement aimé, Gabriel, j'ai peine à croire qu'il soit possible d'aimer quelqu'un davantage. Notre fils en est la plus belle des preuves. Tu vois, ton sang est pour toujours mêlé au mien. Mais le destin ne nous a donné aucune chance. Dans un même bouquet, il a joint le plus beau et l'horreur. Nos vies, pareilles à un miroir volé en éclats, se sont éparpillées dans toutes les directions. On ne pourra rien reconstruire. J'ai dû me rendre à l'évidence, tu ne reviendras pas. Si j'avais continué d'attendre, j'en aurais perdu la raison. Je m'enlisais dans les souvenirs d'un bonheur qui fut trop intense et trop bref. Le passé veut mourir, le passé doit mourir.

Je ne me permettrai jamais de t'oublier et te resterai fidèle jusqu'au dernier jour, mais désormais tu ne seras plus pour moi que le souvenir d'un amour ineffable. Je n'ai aucun regret, aucune aigreur et ne t'adresse aucun reproche. Aussi éphémère que fut ce temps qui nous a unis, j'en ai savouré tous les instants. Rien ni *personne ne pourra m'enlever ces moments où nous ne faisions plus qu'un. Mais pour que ta mémoire ne se transforme pas en un triste regret, j'arrête ici notre histoire.*

Voilà pourquoi je t'ai écrit cette lettre, pour que tu comprennes et pour me convaincre que c'est la seule chose à faire. Tout cela semble si simple, si normal ; les gens meurent, on les oublie et la vie continue. Pourtant, de toute mon existence, jamais je n'ai été confrontée à des choix aussi déchirants. Si ton fils et moi voulons survivre et trouver un semblant de bonheur, je ne dois plus contempler le passé. Si je commets une erreur, si ma décision s'avérait être un égarement, que Dieu me pardonne et qu'il me vienne en aide.

Je t'aime, je t'aime, je t'aime, mon Dieu que je t'ai aimé !

Ta Camille

À la fin d'un long recueillement, d'un geste calculé, Camille souleva avec délicatesse le verre de la lampe à pétrole. Se servant de la flamme, elle mit le feu une à une aux feuilles qui composaient sa lettre. En une bouchée, la flamme dévora le beau papier qui, aussitôt consumé, se transforma en un funeste amoncellement de cendre noirâtre. Ses lèvres tremblaient et dans ses yeux mouillés, on voyait le reflet des flammes emporter les derniers vestiges d'un amour passé. Pour tolérer les grandes chaleurs d'été, la nuit, un carreau de la fenêtre restait ouvert. Soudainement, il y pénétra un vent faible qui souffla sans peine les cendres de papier dans tous les coins de la chambre. Camille, lentement, se leva, embrassa son fils et souffla à son tour la lumière de la lampe.

Ainsi, aidée d'une simple brise, tout un pan de sa vie fut à jamais balayé.

Robertville, 1946

DÉFENSE NATIONALE
OTTAWA CANADA

Le 7 novembre 1946

Madame Camille DuRepos
Robertville
Gloucester, Co.
Nouveau-Brunswick

Chère Madame DuRepos,

J'ai été touché en prenant connaissance de toutes les lettres que vous avez fait parvenir à la Défense nationale depuis près d'un an. Grâce à votre ténacité et à votre insistance, le département m'a finalement assigné votre dossier. Comme vous l'avez clairement exprimé dans votre dernière lettre, vous voulez simplement connaître les circonstances entourant le décès de celui que je présume être votre fiancé. C'est avec humilité que je vais tenter de vous donner une réponse qui, je l'espère, saura vous satisfaire.

Gabriel Cormier (matricule G19348) était soldat du régiment North Shore, dont je faisais également partie à titre d'officier. Le North Shore a débarqué à Saint-Aubin-sur-Mer en Normandie, le matin du 6 juin 1944. C'est donc dire, chère madame, que votre fiancé était un des premiers soldats d'infanterie à faire face à l'ennemi sur le sol de France. Le jour du débarquement, trente-trois soldats de notre régiment ont été tués, 84 ont été blessés. Malgré le feu nourri et la résistance féroce de l'ennemi, nous avons réussi à le déloger et, le soir du 6 juin, Saint-Aubin-sur-Mer était libéré.

Le soldat Cormier a survécu à cette première bataille et il a continué de combattre avec notre régiment jusqu'au 4 juillet. Ce jour-là, le North Shore était un des régiments qui devaient à tout prix capturer l'aéroport de Carpiquet. Tôt le matin, à la suite d'un impressionnant bombardement, le North Shore s'est lancé à l'attaque à travers un champ de blé. Vers midi, Carpiquet était entre nos mains. La bataille de Carpiquet a été l'une des plus importantes et des plus meurtrières livrées par notre régiment en Normandie. Le bilan : 71 morts et 202 blessés. C'est probablement dans ce champ de blé que votre Gabriel a fait le sacrifice de sa vie. Comme tous ceux qui sont tombés ce jour-là, le Padre Hickey lui aura administré l'extrême-onction. Dans votre correspondance, vous maintenez que Gabriel n'était pas un héros ou un haut gradé de l'armée canadienne, mais que vous avez le droit de savoir comment il est mort. Vous avez raison sur un point, mais tort sur le second. Tous ceux qui ont perdu un être cher à la guerre ont le droit de connaître les circonstances qui entourent cette mort, c'est vrai. Toutefois, lorsque vous dites que Gabriel n'était qu'un simple soldat, vous vous trompez. Ma chère madame DuRepos, face à l'ennemi, nous étions tous égaux. Même si je ne connaissais pas, malheureusement, le soldat Cormier personnellement, j'ai combattu à ses côtés. Fils de cultivateur, mort au champ d'honneur dans les blés de Normandie, Gabriel Cormier est un vrai héros et vous êtes tout à fait justifiée d'en être fière.

Et il y a un autre héros dans cette famille Cormier, si je ne me trompe. Un soldat du nom de Paul Cormier a été blessé en août 1944, est-ce le frère de Gabriel ? Je ne connais pas la nature des blessures du soldat Cormier. Je suis moi-même blessé de guerre. J'ai perdu une jambe et n'ai jamais revu un champ de bataille depuis ce jour.

Si ce Paul Cormier en question s'avère être le frère de Gabriel, veuillez le saluer au nom du Major Leblanc.

Oui, votre Gabriel était un brave soldat et un héros qui a fait le sacrifice de sa vie pour la liberté et la paix dans le monde. Je vous souhaite bonne chance et courage.

Sincèrement,

Major Laurent Leblanc

P.S. Veuillez prendre note, Madame Durepos, qu'au cours du mois de février 1946, les restes de Gabriel Cormier ont été transférés au cimetière de guerre canadien à Beny-sur-Mer, en France, où il repose avec ses compagnons d'armes.

Après que Camille eut écrit en pleine nuit cette lettre à Gabriel et se fut empressée de la détruire, le temps cessa enfin de n'être qu'une suite d'événements douloureux. Même si sa situation était encore précaire, la vie semblait avoir retrouvé un sens. Mais Camille n'avait pas posé sa plume pour autant. Toutes ces lettres avaient le même but et toutes étaient adressées à la Défense nationale, à Ottawa.

Ayant été privée d'un enterrement, n'ayant jamais revu le corps de Gabriel, elle avait cette impression, qu'elle savait fausse, qu'il n'était que parti en voyage et qu'un jour ou l'autre on le verrait réapparaître comme par miracle. Si les autorités militaires pouvaient fournir les circonstances de son décès, elle n'aurait d'autre choix, confrontée aux faits, que de croire en sa disparition. C'était sa façon à elle de conjurer le mauvais sort, plutôt que de s'abîmer dans de faux espoirs, et de compléter son deuil.

Mais dans le grand désordre de l'après-guerre, longtemps elle était demeurée sans nouvelles. Lorsqu'on daignait lui répondre par écrit (toujours en anglais), on ne faisait que répéter des formules patriotiques et des banalités qui n'éclairaient en rien les circonstances de la mort de Gabriel. Déterminée, Camille récrivait avec encore plus d'insistance pour qu'on lui donne de vraies réponses. Cela dura des mois; elle était patiente, jamais elle ne baissa les bras. Elle entretenait l'espoir que quelqu'un devait savoir ce qui s'était passé là-bas. On ne pouvait faire disparaître un homme dans le silence complet, cela n'était pas possible. Puis, finalement, vers la fin de 1946, un peu plus d'un an après cette première lettre, elle obtint d'Ottawa l'information tant attendue. Confronté à autant d'acharnement depuis des mois, un commis assigné aux archives, à bout de ressources, avait fait part à son supérieur des demandes répétées de cette Camille DuRepos. Avant que la situation ne dégénère, ce dernier décida d'envoyer le dossier à un responsable du régiment North Shore. On y trouverait sûrement un officier francophone en mesure de régler le cas de cette femme . C'est ainsi que le Major Leblanc, originaire de Bouctouche au Nouveau-Brunswick, avait retrouvé au début du mois de novembre 1946, ficelé sur son bureau, l'épais dossier. Étonné de l'abondance d'une telle correspondance, sa première action fut de faire un certain nombre de vérifications sur le soldat Cormier. Cet examen de routine complété, il lut une à une toutes les lettres que Camille avait écrites et toutes les réponses données par les responsables de l'armée canadienne. Une fois cette lecture terminée, il fit venir son secrétaire et lui dicta sur-le-champ la lettre que trois jours plus tard Camille avait entre les mains. Enfin, elle avait la réponse tant voulue. Elle cessa ses recherches et n'écrivit plus jamais à la Défense nationale. Sans plus de preuves, désormais elle avait la certitude que Gabriel reposait quelque part en terre française. Après cette lettre, la colère de ne pas savoir et le désespoir du vide que laissent les disparus s'apaisèrent. Les deux feuilles dactylographiées par ce Major Leblanc avaient ramené la paix en elle. Comme elle l'avait entrepris depuis des mois, tous ses efforts et son énergie se tournaient vers son fils et la reconstruction de leur vie ensemble.

À Robertville, le malheur de la fille du photographe, qui avait suscité tant de passions derrière les portes closes, avait rapidement perdu de son lustre. Ce qui hier encore nourrissait toutes les discussions était déjà remplacé par le malheur d'un autre. C'est là la seule justice des gens éprouvés, tout finit par s'oublier. Avec le temps, Camille parvint à apprivoiser sa douleur et à trouver un sens à son destin. Elle reprit goût à la vie et son fils y était pour beaucoup.

Deux ans après la fin de la guerre, à l'été de 1947, Louis-Joseph fit sa dernière tournée comme photographe. Tous ces déplacements en Gaspésie et dans le nord du Nouveau-Brunswick n'apportaient plus les profits d'antan. De plus en plus de gens achetaient de petits appareils photo, et un jeune photographe avait même ouvert un atelier à Tracadie. D'année en année, sa clientèle périclitait. Cette passion du métier qui, au début de sa carrière, lui avait donné tant d'audace et d'énergie s'estompait tranquillement.

En 1954, par une belle matinée d'automne, Louis-Joseph annonça à son épouse qu'une longue marche lui ferait du bien. Le ciel était sans nuages, les vents qui toute la nuit avaient soufflé avec violence étaient tombés, l'air était frais et les grands froids étaient encore loin. Après avoir mangé son petit déjeuner avec appétit, il quitta la table pour préparer quelques affaires. Lorsqu'il réapparut dans la cuisine, habillé de son épais manteau rouge, de sa casquette en fourrure et de ses gants de cuir, il portait sous le bras une carabine pour le petit gibier. Chaque automne, il sortait ce fusil pour la chasse mais il ne ramenait jamais quoi que ce soit de ces longues marches en forêt.

— Si je suis chanceux, ce soir on mangera un bouillon à la perdrix, déclara-t-il avant de sortir.

Camille, qui lavait la vaisselle avec sa mère, répondit à son père, pour l'agacer :

— Si tu rentres à la maison avec ça, le souper, tu pourras le faire toi-même.

— Voyons, Camille, si ton père nous rapporte quelque chose, je le préparerai, moi, ça ne doit pas être trop difficile.

Avant de sortir, Louis-Joseph lança un clin d'œil à son épouse.

Quand le soir fut tombé et que la lumière du jour fut trop faible pour marcher seul en forêt, Janine se mit à craindre le pire. Louis-Joseph ne rentrait pas. On eut beau appeler le vieux curé Thibodeau et quelques voisins, il était inutile d'organiser une battue la nuit. Il faudrait attendre le lever du jour. Les recherches durèrent trois jours. On retrouva le corps de Louis-Joseph près d'un petit boisé, à deux kilomètres de sa maison. Son cœur, apparemment malade, s'était subitement arrêté. Il avait 63 ans. En apprenant la mort de son grand-père, Émile, qui n'avait que neuf ans, fut dévasté. Mais à l'enterrement, il ne versa pas une larme lorsque le cercueil fut mis en terre. Camille savait que son fils était déchiré de chagrin; mais comme son grand-père l'avait toujours fait, il cachait sa douleur.

Lorsque le curé Thibodeau était venu confirmer à la famille DuRepos le malheur qui les frappait, Camille, en écoutant ses paroles, eut l'impression qu'on venait de lui annoncer sa propre mort. Du même coup, tous les souvenirs les plus douloureux, endormis au plus profond de son être, refirent surface. Comme si c'était hier qu'on lui avait appris la mort de Gabriel, en un éclair cette illusion que la foudre ne pouvait plus la frapper, qu'elle avait suffisamment souffert, s'évanouit. Pendant quelques jours, bien qu'elle ne laissât rien paraître, elle avait la certitude que la mort de son père l'achèverait. C'en était trop. Mais confrontée au courage dont sa mère faisait preuve devant les affres du destin, quelque part en elle, Camille trouva la force d'accepter.

Un mois après que Louis-Joseph fut disparu, la boutique ferma définitivement ses portes. Même s'il n'avait laissé qu'un maigre héritage, dans sa prévoyance, Louis-Joseph avait blanchi sa famille de toutes ses dettes. La maison, l'auto, ses appareils photo, tout avait été payé. Avec l'argent que le père de Janine avait laissé à sa mort et qu'elle gardait pour ses vieux jours, Camille et son fils seraient à l'abri. Loin d'être riches, ils en avaient suffisamment pour vivre sans trop se priver. Camille entra en contact avec le jeune photographe qui avait ouvert un studio à Tracadie et lui proposa d'acheter l'équipement de son père. Même si certains appareils étaient quelque peu désuets, tout l'équipement fut vendu à bon prix.

L'entrée de la maison fut retransformée en solarium, le studio en une salle de couture et la chambre noire du deuxième en une chambre à coucher. L'intérieur de la maison ainsi transfiguré, il ne restait plus la moindre trace de ce qui avait été l'unique boutique de photographie à Robertville. Seuls des milliers de clichés remplissaient encore une grosse malle en bois, qui fut remisée au grenier. La plupart de ces photographies étaient des doubles que les clients ne réclameraient jamais. Janine ne put se résigner à s'en débarrasser. Elle ne pouvait imaginer de voir disparaître les derniers témoins de toute une vie de travail et de sacrifices. Louis-Joseph avait trop aimé ce métier pour que l'on en détruise jusqu'au dernier souvenir.

Longtemps après la fermeture du studio, il arrivait que les DuRepos reçoivent des lettres d'anciens clients destinées à Louis-Joseph. Janine étant encore trop sensible, c'était Camille qui prenait le temps de répondre au courrier de son père. De son écriture appliquée, elle informait cette fidèle clientèle avec regret que «Monsieur Louis-Joseph DuRepos est décédé à l'automne de 1954, son commerce a depuis fermé ses portes.» De loin en loin, les lettres s'espaçaient, puis elles cessèrent complètement. Camille n'eut plus besoin de rappeler la mort de son père à des inconnus.

Le temps passait, mais malgré ces six années qui séparaient Janine de son deuil, elle avait peine à s'en remettre. Elle avait vieilli et perdu cet entrain qu'auparavant elle mettait en toute chose. Son épaisse chevelure depuis longtemps grisonnante était devenue blanche comme neige, et le moindre effort l'épuisait. Lentement, et sans vraiment s'en plaindre, elle déclinait. Elle abandonna l'orgue de l'église le dimanche matin. Elle céda sa place à une jeune fille du village à qui elle avait donné, gratuitement, des leçons de piano pendant trois ans.

Lorsque Janine dut se rendre à Montréal au chevet de sa mère qui, à 91 ans, était mourante, elle prit une décision sur laquelle elle ne reviendrait plus. Quelques mois avant son départ, sans aucune explication, comme un acte de détachement, elle avait fait cadeau à son petit-fils d'une grande partie de sa collection de livres. Elle lui avait remis, entre autres, tous les volumes de la *Comédie humaine* de Balzac et les trois tomes à reliure dorée des *Misérables* de Victor Hugo. Depuis le jour de sa naissance, Janine n'avait eu qu'amour et affection pour cet enfant. C'était elle qui, dès qu'il fut en âge d'apprendre, l'avait initié aux plaisirs de la lecture. En lui offrant ces livres, elle avait l'impression de lui donner ce qu'elle avait de plus précieux. Quatre semaines après l'enterrement de sa mère, Janine fit parvenir à sa fille et à son petit-fils une lettre leur annonçant qu'elle ne reviendrait plus à Robertville. Le vide laissé par la mort de Louis-Joseph, avec qui elle avait partagé 36 ans de sa vie, était si vaste que cela en était devenu intolérable. Elle s'installerait à Montréal pour s'occuper de sa sœur aînée, malade et sans enfants.

En prenant connaissance de cette lettre, Camille ne manifesta aucun étonnement. Elle tenta vaguement de convaincre sa mère de revenir sur cette décision et de rentrer à la maison. Mais Camille avait trop de respect pour sa mère et elle savait qu'insister aurait été inutile. Deux fois l'an, son fils et elle prendraient le train et se rendraient à Montréal pour lui rendre visite. Après seulement trois années, ces voyages annuels prirent subitement fin. Janine s'était éteinte tout doucement au cours des grands chaleurs de l'été, le 15 août 1963. Camille et Émile ne retournèrent jamais à Montréal après l'enterrement.

Camille ne trouva pas à se marier. Elle eut bien quelques prétendants, de vieux messieurs plus frileux qu'amoureux qui tentèrent leur chance, mais leurs avances étaient restées sans réponse. Pendant les jeunes années de son fils, Camille n'avait d'affection que pour lui. Elle se disait que plus tard, lorsque Émile serait plus grand, lorsqu'il comprendrait, elle ouvrirait sa porte aux hommes. Mais à trop repousser les soupirants, on en vient à chasser l'amour. Camille s'était faite à l'idée «plutôt rester seule que de vivre malheureux à deux».

À la fin de l'été de ses seize ans, Émile ne voulut plus retourner à l'école. Lui habituellement si docile, il était devenu intraitable. Sans être particulièrement doué, il ne manquait pas d'intelligence et lorsqu'il mettait un peu d'efforts, il réussissait de façon raisonnable. Mais l'école l'ennuyait. Dès sa première année, un incident apparemment sans malice l'avait marqué. Ce jour-là, il était rentré de ses classes en pleurant et, sans rien dire, il s'était réfugié dans sa chambre. Sa mère, qui préparait le souper, s'était empressée de monter le consoler.

— Qu'est-ce qui t'arrive, Émile ? Tu es tombé ?

De ses grands yeux mouillés, il avait regardé sa mère avant de répondre :

— À l'école, les autres rient de moi.

— Comment, les autres rient de toi ? Pourquoi ? Qu'est-ce qui s'est passé ?

— Je ne sais pas, mais le grand Mathieu a dit que j'étais un bâtard parce que je n'avais pas de papa. Après, tout le monde riait de moi.

Camille, le cœur serré, essuya avec un coin de son tablier les larmes de son fils et le prit sur ses genoux.

— Maman, c'est quoi un bâtard ?

Depuis ce temps, à chaque rentrée scolaire le même manège se répétait. Camille devait argumenter avec lui pour qu'il tienne encore une année. Mais cette fois, elle avait perdu. Émile ne remettrait plus les pieds à l'intérieur d'une salle de classe. Fatiguée de se quereller, à bout d'arguments avec l'adolescent en pleine crise, elle se plia à sa volonté. Elle avait toutefois imposé une condition sur laquelle il n'y aurait aucune négociation possible.

— Si tu ne veux plus d'éducation, jeune homme, tu dois te trouver du travail. Tu ne resteras pas ici à te morfondre d'ennui. Tu as fait un choix, il faut l'assumer, maintenant.

Émile savait que sa mère était sérieuse, mais lui ne demandait rien de mieux que de travailler. À peine deux semaines après la rentrée scolaire, il dénicha du travail.

Lorenzo Doucet, qui habitait à Sainte-Rosette, un petit village situé à quelques kilomètres de Robertville, avait sept enfants, sept filles. Certains disaient que c'était pour cette raison qu'il était devenu si malcommode, parce que la nature lui avait refusé un garçon. D'autres, ceux qui avaient le même âge que lui, maintenaient qu'il avait toujours été comme ça. C'était de famille, mais il empirait en vieillissant. Il était bon charpentier, excellent menuisier, mais c'était un homme de mauvais caractère et il avait la fâcheuse habitude de perdre les meilleurs de ses apprentis. Intolérant, il mettait à la porte de son atelier tous ceux qui démontraient le moindre signe de fainéantise et les sans talent. L'un de ses gendres, plutôt habile et gros travailleur, avait bien tenté d'apprendre le métier ; mais après un an, il ne pouvait plus endurer son beau-père. À l'automne, il préféra l'âpreté du travail des chantiers aux courroux du vieux bougon. En apprenant que son fils allait travailler avec Lorenzo Doucet, Camille fut ravie. Elle s'était dit que sensible comme il l'était, Émile ne durerait que trois jours avec le vieil acariâtre. Si la qualité du travail de Lorenzo n'avait d'égale que sa mauvaise humeur, en un rien de temps, son fils reprendrait le chemin de l'école. Mais Camille se trompait.

Ce qui devait n'être qu'une période d'essai se transforma en un métier puis en une passion. Dès qu'il mit les pieds dans l'atelier, Émile fut envoûté. L 'odeur du bois frais travaillé, le sifflement répété des coups de varlope sur le bois dur, le bruit des outils, la chaleur du poêle allumé tôt chaque matin pour casser l'humidité, tout l'avait séduit.

Lorenzo, qui prévoyait perdre ce jeune apprenti comme il avait perdu les autres, ne changea pas d'humeur et ne lui fit aucune faveur. Au début, Émile parlait si peu qu'il le crut simple d'esprit. Mais son travail était bien fait et, dès les premiers jours, il montra de bonnes dispositions pour la menuiserie. Le grand adolescent, encore tout fluet, mettait du sérieux dans son ouvrage. Émile n'ouvrait la bouche que pour questionner et apprendre son nouveau métier. Il arrivait que pour une tâche délicate, à cause de son manque d'expérience, il prenne un soin extrême pour réussir la pièce. Lorenzo, qui remarquait ce genre de détail, s'était dit que «si l'enfant est idiot, au moins il a du talent». Avant d'entretenir trop d'espoir, Émile devrait toutefois faire ses preuves. Pendant des semaines, sans répit Lorenzo lui demanda les pires besognes sans jamais dire un mot d'encouragement. Ses seuls commentaires étaient pour souligner une erreur ou pour faire reprendre un travail mal fait. Malgré les jurons qui pleuvaient à longueur de journée, malgré tous les désagréments d'un tel patron, Émile aurait tout enduré pour garder son travail. Parfois, Lorenzo, dans un accès de rage, pouvait soulever le meuble à bout de bras avant de le fracasser au sol en criant. La crise passée, silencieux, Émile mettait au feu le bois brisé et récupérait ce qui était encore utilisable.

Après des mois de travail dans ces conditions, malgré tout ce qu'il avait dû subir, son idée était faite. Émile ne retournerait plus à l'école. Il avait choisi sa vie, il serait menuisier comme Lorenzo. Camille, qui croyait beaucoup dans l'éducation, s'attendait à davantage de son fils. Pendant des semaines, Émile écouta respectueusement le raisonnement de sa mère sans rien dire, sans même tenter d'amener des arguments en sa faveur. Puis un matin, au déjeuner, d'un air fatigué, il regarda fixement sa mère et déclara d'un ton froid et détaché:

— Si je dois retourner à l'école, je m'en vais.

La phrase était tombée comme un couteau sur la table. Camille y reconnut son propre caractère et comprit dès cet instant qu'insister davantage voulait dire le perdre. Elle ne lui reparla plus jamais de l'école. Lorsque Émile informa son employeur qu'il était là pour rester, pour la première fois en six mois, il vit apparaître sur le visage de Lorenzo ce qui semblait être l'esquisse d'un sourire. Le vieil homme aux cheveux gris et hirsutes fit un commentaire qui n'avait rien d'un reproche.

— C'est une bonne affaire que tu fais là, le jeune. Tu as le métier dans les mains, ça se voit tout de suite. C'est comme ton défunt grand-père, lui aussi ne parlait pas beaucoup mais il aimait le travail bien fait. C'était un bon photographe. Dans la vie, c'est tout ce qui compte, le travail bien fait.

Dès qu'il apprit qu'Émile ne laisserait pas l'atelier, Lorenzo traita son apprenti avec un peu plus de considération. Les jurons continuèrent de tomber à longueur de journée, mais les travaux qu'il lui confiait étaient de plus en plus raffinés et exigeaient les plus belles qualités d'un artisan. Il lui faisait enfin pleinement confiance. Émile ne fut jamais aussi heureux que pendant ces années d'apprentissage. Avec ce gain de confiance, il vit également l'augmentation de ses gages. Si son patron n'était pas aimable, il était juste et n'avait pas l'avarice comme défaut. Camille, un peu tiède au début devant le succès de son fils, avait fini par reconnaître le mérite de son métier.

Lorsqu'il travaillait, Lorenzo détestait perdre du temps. Le midi, plutôt que de retourner chez lui pour manger, il faisait apporter son dîner à l'atelier. Généralement, c'était son épouse qui s'occupait de préparer et de livrer le repas. Mais à l'occasion, il arrivait qu'elle envoie la plus jeune de ses filles. Marie-France n'avait que 17 ans, elle était toute menue et avait une santé fragile. Elle habitait toujours avec ses parents, fréquentait un garçon du village, un beau parleur qui avait un faible pour la bouteille mais peu d'intérêt pour le travail. Lorenzo le détestait comme la peste et se serait fait un plaisir de le chasser de chez lui. À douze ans, Marie-France avait été alitée pendant huit mois, les médecins la disaient perdue. Comme par miracle, elle s'en était sortie. Depuis ce temps, le père avait tendance à se plier aux caprices de sa fille.

Contrairement à son père, Marie-France était une bonne enfant, elle avait de belles qualités et était toujours gaie. Lorsqu'elle livrait le dîner à son père, elle passait tout son temps à se promener à l'intérieur de l'atelier, curieuse du travail qu'il y faisait. Avant de repartir, elle l'embrassait sur la joue et ramenait le panier vide à la maison. Malgré son silence, Émile était loin d'être indifférent à la fille de Lorenzo. Marie-France connaissait le fils de la fille du photographe mais ne lui portait aucune attention particulière. Depuis qu'elle était toute petite, elle avait vu des dizaines d'apprentis défiler dans l'atelier de son père, s'attacher à l'un d'eux était peine perdue. Mais contrairement aux autres, Émile s'accrochait et, chose encore plus rare, son père en disait parfois du bien. Avec le temps, Marie-France développa à son tour un intérêt pour ce garçon qui ne disait jamais rien mais qui semblait avoir de la douceur pour tout ce qu'il touchait. Ce qui entre eux n'avait été que politesse et courtoisie se transforma en amitié, puis en amour. Cette fois, Lorenzo n'émit aucune objection aux fréquentations de sa fille. C'est même lui qui se chargea d'informer le beau parleur qu'il n'avait plus sa place dans son salon. Le père de Marie-France dut être très clair dans ses explications, car l'autre ne remit plus jamais les pieds chez la famille Doucet.

Après deux années de fréquentations, le 29 juillet 1964, Émile et Marie-France s'épousèrent.

Le vieil homme avait enfin trouvé en cet apprenti le fils dont le ciel l'avait privé. Malgré l'arthrite qui lentement, depuis quelques années, lui paralysait les doigts, Lorenzo ne montrait aucun signe de ralentissement et ne parlait jamais de retraite. Il avait confié à son gendre qu'il était entendu que si la douleur à ses articulations devenait trop vive et mettait fin à sa carrière, il lui vendrait tous ses outils. Pour le moment, Émile s'occupait du travail, et son beau-père se chargeait de trouver les contrats et de faire les estimations. Malheureusement, ce ne fut pas la progression de l'arthrite qui obligea Lorenzo à quitter son atelier. Une autre maladie, plus pernicieuse, faisait sournoisement ses ravages. Émile fut le premier à remarquer que depuis quelques mois, la mémoire de son beau-père lui faisait défaut. Au début, cela n'était rien, il oubliait de petites choses, des détails anodins. Mais sa mémoire, qui pourtant ne l'avait jamais trahi, se criblait de trous. D'abord quasi imperceptibles, en peu de temps ces trous se mirent à s'agrandir. Lorenzo oubliait le nom des outils qu'il avait utilisés toute sa vie et, encore plus grave, le nom des gens autour de lui. Parfois, il semblait désorienté dans son propre atelier. Lorsqu'il se mit à raconter plusieurs fois d'affilée la même histoire, tous comprirent qu'Émile n'avait pas rêvé : Lorenzo était malade.

La maladie s'aggrava à un point tel qu'on dut lui interdire de travailler dans l'atelier. Lorsque son épouse le retrouva seul dans son sous-sol en pleine nuit, avec sa canne à pêche, elle dut à regret faire face à la réalité. Lorenzo perdait la raison. Deux mois auparavant, on avait fêté son 71e anniversaire de naissance.

Madame Doucet, trop âgée pour s'occuper de son époux, dut le placer à l'hospice. Du même coup, Émile perdit son emploi. C'est à cette époque que Camille lui prêta l'argent nécessaire pour construire son atelier. Il ne se consacrerait qu'à la menuiserie et à l'ébénisterie, sa réelle passion. Ayant tout investi dans ce métier et n'ayant plus les moyens de payer un appartement, le jeune couple n'eut d'autre choix que de déménager pour aller vivre avec la mère d'Émile. Camille adorait Marie-France, sa maison était grande, elle ne voyait aucun inconvénient à ce que son fils et sa bru, enceinte de quatre mois, habitent avec elle. Marie-France accepta le compromis mais fit clairement comprendre à Émile que la situation était temporaire. Elle voulait sa maison pour élever sa famille. Dès que cette dette serait remboursée, ils emprunteraient pour construire un foyer bien à eux.

Lorsque Marie-France donna naissance à un garçon, l'atelier était encore en construction. Ils baptisèrent l'enfant Martin Joseph DuRepos. Le jour de l'accouchement, Camille vit briller dans les yeux de sa bru une lumière qu'elle-même n'avait pas connue en donnant naissance. Elle fut émue aux larmes et heureuse de voir son fils et son épouse prendre un aussi beau départ dans la vie. Leur amour s'érigeait sur une fondation solide que rien ne semblait en mesure d'ébranler. À la pouponnière de l'hôpital, lorsque Émile prit pour la première fois son fils dans ses bras, il fut persuadé que jamais il ne connaîtrait plus grande joie.

Malheureusement, à la fin de l'hiver de 1968 se pointèrent les premiers nuages qui marqueraient le début d'une période sombre.

Marie-France, qui depuis quelques mois se plaignait d'un manque d'énergie, tomba malade et dut s'aliter pendant plusieurs jours. Ce qui au début ne semblait être qu'un mauvais rhume se mit à traîner en longueur. Puis, elle recouvra la santé. Mais à la fin de l'été, elle rechuta brutalement. Émile, submergé par son travail, ne voulut rien voir d'autre dans l'état de santé de son épouse qu'une vilaine grippe mal soignée et de la fatigue. Même si elle avait comme principe de ne jamais se mêler des affaires du couple, Camille était cependant inquiète et ne put faire autrement que d'intervenir auprès de son fils. Elle parvint à lui faire comprendre que plus longtemps il laissait son épouse sans soins, plus il compromettait ses chances de guérison.

— Cacher la maladie, se mentir, ça n'a jamais redonné la santé à personne, avait-elle lancé à son fils après avoir passé une partie de la nuit au chevet de sa belle-fille.

Marie-France, trop faible pour protester, retourna voir son médecin. À peine l'avait-il examinée qu'il la fit admettre à l'hôpital. Sa mère et ses sœurs étaient persuadées que l'épisode de tuberculose de son enfance l'avait rattrapée. Plusieurs semaines plus tard et après une batterie de tests, le médecin diagnostiqua une tout autre maladie. Marie-France était atteinte de cancer et les possibilités de rémission étaient quasi inexistantes.

En quelques mois, plus le corps de son épouse s'affaiblissait, plus l'équilibre mental d'Émile se détériorait. Trop renfermé, trop sensible, il ne possédait pas en lui la force et le caractère pour composer avec une telle réalité. N'eût été du sang-froid de sa mère et du courage dont elle faisait preuve, Émile serait resté sans moyens. C'est elle qui organisa ses affaires pendant toute la période d'hospitalisation. Elle l'obligea à continuer de travailler, à prendre soin de son fils et à donner un sens à sa vie. Seul, il aurait été perdu.

À la toute fin, lorsque Marie-France sombra dans un coma d'où elle ne reviendrait plus, Émile ne s'en remit pas. Le soir de son décès, le 4 janvier 1969, la mère de Marie-France, ses six sœurs et Camille veillèrent la mourante. Émile, paralysé par le chagrin, était resté dehors, dans l'auto, à attendre avec son fils. Après l'enterrement s'ouvrit pour Camille une toute nouvelle vie. Émile, comme un estropié de l'âme, garda de profondes séquelles de cette disparition prématurée. Il se mit à boire et perdit toute confiance en l'avenir. Arrivant à peine à joindre les deux bouts, il ne put rembourser à sa mère l'argent emprunté pour son atelier. Pire encore, cette fuite dans l'alcool brouilla son jugement et son fils en fut la première victime. À 47 ans, Camille devint mère pour la seconde fois.

Pour faire un peu d'argent, elle se mit à donner des leçons de piano. Elle s'était rendue à l'école du village et en avait fait l'annonce à l'institutrice. Dès la fin des vacances d'été, elle reçut sa première élève. Camille était consciente qu'elle n'aurait jamais un talent pour la musique comparable à celui de sa mère. Toutefois, elle maîtrisait la technique et possédait le don de l'enseignement.

C'est ainsi, entre le piano de sa grand-mère et l'atelier de son père, qu'allait grandir le petit Martin. À l'aube du printemps de 1987, il aurait bientôt dix-huit ans et préparait le premier grand voyage de sa vie.

Robertville, 1984

Mis à part les menus travaux que son père lui donnait, Martin n'avait jamais eu un emploi d'été régulier. De toute façon, comme il n'était pas dépensier, l'argent l'indifférait. Son père et sa grand-mère ne lui faisaient aucun reproche sur la façon dont il organisait son temps. La seule responsabilité que lui imposait sa grand-mère était qu'il l'aide à l'entretien de la maison. Elle répétait souvent : « Ce n'est pas parce que l'on est pauvre qu'il faut le montrer à tout le monde. » Camille était intraitable sur ce point. Tant et aussi longtemps que tout était propre à l'intérieur de la maison, qu'à l'extérieur le gazon était coupé et les fleurs arrosées, qu'en hiver les marches du perron étaient nettoyées et que la cour était déblayée, Martin pouvait bien faire ce que bon lui semblait de son temps.

Vers dix heures, après avoir lavé la vaisselle, nettoyé la cuisine, fait les chambres et balayé les planchers, Martin sortit rejoindre son père à l'atelier. Lorsqu'il ouvrit la porte, il fut frappé par une odeur de produit décapant. En entrant, il vit son père qui, avec grand soin, recouvrait d'une couche de vernis un banc de bois qui était monté sur sa grande table de travail. Derrière lui, sur le mur du fond, une douzaine de bancs identiques à celui qu'il vernissait attendaient debout, rangés les uns contre les autres.

— Ce sont les bancs de l'église ? demanda Martin, étonné de les voir rassemblés là en aussi grand nombre.

— Oui.

— Il y en a combien ?

— Oh ! Une douzaine pour le moment, mais les autres suivront, répondit Émile tout en continuant son travail, concentré.

Après avoir recouvert le banc d'une première couche de vernis, il posa son pinceau sur le bord de la cannette qui contenait le liquide couleur de miel et s'assit sur un tabouret, en face de Martin. À l'aide d'un linge sale et humide qu'il retira de la poche arrière de ses salopettes, il tenta avec difficulté de se débarrasser des gouttelettes de vernis qui lui gommaient les doigts.

— Je croyais que le père Albert t'avait demandé de réparer quelques bancs seulement.

— Oui, au début c'était ça, l'idée. Il voulait que je répare ceux qui craquaient, ceux dont les jointures avaient cédé. J'ai fait ce qu'il m'avait demandé. Il était content du travail. Seulement, une fois réinstallés à leurs places, les bancs réparés n'étaient pas tout à fait de la même couleur que les autres. Comme il n'est pas du genre timide, le père Albert, il ne s'est pas gêné pour me le dire.

— Qu'est-ce qu'il t'a dit ?

— Pas grand-chose. Il voulait que je trouve un vernis qui rendrait les bancs réparés identiques aux autres.

— Ça existe ?

— Justement, non ! Ça ne se fait pas. Je lui ai expliqué que les teintes d'un bois, c'est le temps qui leur donne leur caractère. Un banc frais peint, on ne peut pas le comparer avec un autre peinturé soixante-dix ans avant. Il faut laisser le temps faire son œuvre.

— Alors le père Albert s'est fâché et t'a dit de repeindre tous les bancs de la même couleur, dit Émile en souriant.

— C'est à peu près ça qu'il a dit.

— Mais ça va lui coûter une fortune.

— Ah! Ça, ce n'est pas mon problème. Moi, j'ai une commande et un travail à faire, je le fais, un point c'est tout. Le père Albert, il trouvera bien les sous, c'est son affaire à lui, pas la mienne.

— Ça va prendre une éternité!

— Oui, mais l'éternité doit se terminer avant Noël. C'est tout ce qu'il demande, le vieux curé. Aussi longtemps que l'église sera prête pour la messe de minuit, le reste, il en fait son affaire. Faut le comprendre, c'est la seule fois dans l'année que l'église est pleine. Ce serait triste de ne pas avoir des bancs pour tout le monde. Pour y arriver, j'emmène une douzaine de bancs ici, je décape et j'enlève le vieux vernis, je les sable comme du bois neuf et je repeins. Une fois séchés, je les réinstalle à l'église et j'en ramène douze autres.

Martin fixait les bancs qui attendaient le long du mur. Il dit:

— Grand-maman t'a parlé de mon projet?

— Oui, elle m'en a glissé un mot.

— Elle t'a expliqué, pour l'argent?

— Oui.

— Qu'est-ce que tu en penses?

— Je vais te proposer quelque chose. À la vitesse où je travaille, je n'arriverai jamais à tout faire d'ici Noël. Ce n'est pas possible pour un homme seul. Même en travaillant jour et nuit, le vernis, je ne peux pas souffler dessus pour le faire sécher plus vite. J'ai promis ça au père Albert parce que des commandes, on ne peut pas dire qu'on se bouscule pour m'en donner. Ce n'est pas compliqué, j'ai besoin d'aide. Si tu veux faire un peu d'argent pour ton voyage, c'est ta chance, tu peux même commencer demain matin si tu veux. Je n'ai pas besoin de te donner une formation, tu sais déjà comment te servir de la sableuse ; et pour la peinture, tu es meilleur que moi. Le décapage, je te montrerai, c'est comme le reste, ça s'apprend.

Pendant un moment, Martin demeura silencieux. Les bras croisés, il regardait son père et les bancs rangés derrière lui.

— Tu veux une réponse tout de suite ? demanda-t-il à son père.

Émile, qui s'était remis au pinceau, répondit :

— Martin, si ça te prend trois semaines pour peser le pour et le contre, laisse tomber. Je me débrouillerai. Moi, j'ai besoin d'un homme le plus vite possible.

Émile parlait calmement, sans la moindre trace d'impatience ou d'agacement.

— C'est toi qui cherches du boulot. Si le travail ne te plaît pas, je trouverai quelqu'un d'autre, c'est tout. Tu fais ce que tu veux. Je te propose ça pour te donner un peu d'expérience et de l'argent pour ton projet. Mais demain matin, si tu n'es pas dans l'atelier, j'appelle un des garçons à Robichaud. Ils cherchent toujours du travail. Il faut que je les surveille un peu plus, mais ils sont honnêtes et ne sont pas paresseux.

Martin évalua la proposition de son père en silence pendant quelques secondes avant de lui demander :

— À quelle heure veux-tu que je sois ici demain matin ?

Son père, tout en continuant son travail, répondit avec un sourire en coin :

— Aussitôt que le soleil se lève.

Très tôt le lendemain matin, le soleil était à peine levé que Martin était déjà debout. Son petit déjeuner terminé, il enfila la vieille salopette usée mais propre que son père avait laissée pour lui sur le dossier d'une chaise de la cuisine. Dehors, il fut enveloppé par cette lumière chaude. Et pour les prochains mois, cette routine se répéterait chaque jour, avec la précision d'une horloge. Sans relâche, avec une énergie intarissable, Martin s'attellerait à toutes les besognes que son père exigerait de lui sans jamais rechigner ou se plaindre. Malgré la chaleur, malgré la fatigue, il s'astreignait au travail comme un forçat, six jours par semaine, dix heures par jour. Il proposa même de travailler le dimanche. Mais Émile, amusé par le zèle de son fils, lui fit comprendre que leur employeur n'apprécierait pas d'apprendre que les bancs de son église avaient été refaits le jour du Seigneur.

— Dimanche, c'est encore dimanche pour beaucoup de monde, Martin. Si nous ne voulons pas de problèmes avec le père Albert, nous aurions intérêt à éviter l'atelier le jour du repos.

Martin avait compris et ne reparla plus de cela.

Jamais de sa courte existence il n'avait travaillé aussi longtemps et aussi fort. Il était entré dans l'atelier de son père comme d'autres entrent au monastère. On l'aurait dit investi d'une mission dont lui seul connaissait l'importance. Chaque jour, sans montrer le moindre signe d'épuisement ou de fatigue, il se résignait au travail comme si sa vie en dépendait. Son père fut le premier surpris d'un tel acharnement. Martin n'avait jamais été du genre paresseux. Mais dans le passé, lorsqu'on le laissait trop longtemps sans surveillance quand il était plus jeune, il se mettait à rêvasser et le travail en souffrait. Cette fois, c'est tout à fait le contraire qui se produisit. Du matin au soir, il maintenait un haut niveau de concentration. À la fin de la journée, Émile devait souvent lui dire de s'arrêter.

— C'est assez pour aujourd'hui. Allez, nous rangeons les outils.

Tout en continuant son travail, Martin répondait :

— Je n'ai pas tellement faim, je vais travailler encore un peu.

— Martin, si nous travaillons toute la nuit, demain nous ne pourrons pas entrer. Nous avons fait une bonne journée, c'est assez pour aujourd'hui.

Résigné, il obéissait à son père et quittait l'atelier.

Non seulement il donnait de longues heures, la qualité de son travail était souvent remarquable. Tapi derrière un perfectionnisme inépuisable et une volonté d'apprendre, il donnait sans cesse le meilleur de lui-même. Parfois, Émile arrêtait son travail et prenait quelques secondes pour examiner celui de son fils à son insu. Et de jour en jour, le père ne pouvait faire autrement que de constater avec fierté le progrès. Lentement, mais de façon constante, ses mains développaient une sensibilité à la matière. Plus il manipulait le bois, plus il gagnait cette assurance qui caractérisait le travail des meilleurs ébénistes. S'il arrivait qu'Émile ne soit pas satisfait de la qualité de l'ouvrage, Martin demeurait ouvert à la critique et acceptait les reproches. Un jour, en rentrant dans l'atelier, Martin vit son père qui glissait sa main sur la surface d'un banc qu'il avait sablé la veille. Se retournant lentement vers son fils, Émile dit :

— Ce banc n'est pas prêt ! Il faut sabler un peu plus en profondeur. Regarde ici, on sent encore des inégalités.

Silencieux, Martin s'était approché ; et à son tour, il caressa doucement, de sa main ouverte, les planches encore recouvertes d'une fine couche de poussière. D'un signe de tête, il fit comprendre à son père qu'il était d'accord. Il se remit à sabler le bois comme s'il était clair dans son esprit que l'on ne conteste jamais l'évidence d'un travail mal fait.

Pendant toutes ces heures de travail, Martin et son père s'arrêtaient rarement; ils restaient silencieux et n'échangeaient, à l'occasion, que quelques paroles qui concernaient toujours le travail. Pour se reposer, ils sortaient de temps à autre, jamais à heure fixe, prendre une pause dehors. Sans hâte, le corps luisant de sueur, ils abandonnaient les outils et allaient s'allonger à l'ombre, cachés derrière l'atelier. Ils y restaient une vingtaine de minutes tout au plus. Puis, satisfaits, ils reprenaient le travail. Concentré sur ce qu'il faisait, Martin prenait plaisir à découvrir les finesses du métier de son père. Il pouvait ainsi rester de longues heures à travailler une pièce qui lui donnait des difficultés. Jamais il ne se plaignait de cela. Il s'abandonnait au travail et s'ouvrait à tout ce que cet apprentissage pouvait lui apporter. Malgré l'âpreté des travaux, malgré son manque d'expérience, il s'obstinait à vouloir apprendre. Et tranquillement, à force de répéter les mêmes gestes, à force d'efforts et par un investissement quasi total de lui-même, ces planches d'érable blanc, de hêtre et de merisier noir, ce beau bois dur et fier, lui livrèrent une partie de leurs secrets. Comme l'artiste qui, sans aucune commune mesure, donne tout pour la seule satisfaction du travail bien fait, Martin ne visait rien de moins que la perfection même s'il ne l'atteindrait jamais.

Au début de novembre, après cinq mois de travail, les travaux de rénovation s'achevaient. Comme l'avait souhaité le père Albert, la presque totalité des bancs de son église avaient été réparés, décapés, sablés et vernis.

Le 4 novembre, un jeudi matin, Martin et son père installèrent le dernier banc de l'allée centrale. Le contrat avait été respecté tel qu'il avait été entendu. L'église de Robertville serait fin prête pour les grandes célébrations de décembre et débuterait la nouvelle année avec un tout nouveau visage. Le père Albert, présent pour l'événement, se frottait les mains de contentement. Le grand homme au visage dur mais aux yeux pleins de bonté était visiblement heureux et satisfait.

— Quel beau travail! Quel beau travail, répéta-t-il à plusieurs reprises. Ah! Vous les DuRepos, vous avez un don du ciel pour travailler le bois. Il n'y a pas à dire, c'est remarquable. On vous le remet de génération en génération, de père en fils. Vous êtes conscients de cela, quand même?

Émile, habitué aux louanges que suscitait son travail, souriait sans rien dire tout en rangeant ses outils dans un grand coffret. Martin, qui aimait bien le caractère déterminé du vieil homme, ne put s'empêcher de le taquiner.

— Mais, monsieur le curé, mon arrière-grand-père était photographe, pas ébéniste, ni même menuisier.

Le curé ouvrit de grands yeux en secouant la tête pour signifier son désaccord.

— Photographe? Photographe! Mais qu'est-ce que tu racontes, toi, petit malheureux? Photographe, ébéniste, menuisier, c'est du pareil au même, il n'y a pas de différence. Celui qui a le souci du détail, des couleurs, du bon matériel, du travail bien fait, c'est un artiste. Ce sont les caractéristiques des grands artisans. Prendre le temps qu'il faut pour faire les choses à la perfection, seuls les artistes ont ce respect du travail. Les autres, ils besognent pour l'argent. C'est facile, il n'y a pas grand mérite là-dedans. Tout le monde peut travailler pour l'argent. Mais l'art... l'art... ça, c'est autre chose.

Comme son père, Martin ne pouvait s'empêcher de sourire devant l'enthousiasme du père Albert, qui promenait avec tendresse ses mains blanches sur la surface du bois fraîchement verni. On aurait dit un marchand évaluant la finesse d'une nouvelle dentelle.

Robertville, 1984

Dès le lendemain, Émile était retourné travaillé dans son atelier. Martin rejoignit son père un peu plus tard en matinée. Pas un souffle de vent ne caressait les quelques feuilles séchées, qui s'accrochaient tristement aux branches des trois bouleaux devant l'atelier. Du tuyau de tôle qui sortait du toit, on voyait s'échapper un mince filet d'une fumée sombre qui montait en ligne droite. Il était près de midi, le ciel était sans nuages, il faisait beau mais froid. Chaque automne, avant les premières neiges, Émile prenait quelques jours pour nettoyer l'intérieur de l'atelier. Ce matin-là, il s'y était rendu plus tôt qu'à l'accoutumée, avait fait du feu et s'était aussitôt mis à l'ouvrage. Infatigable, il ne laissait rien passer. Après avoir épousseté les murs et ses outils, puis balayé le plancher, il mettrait de l'ordre dans les restants de planches et de madriers qui s'accumulaient pêle-mêle un peu partout. Il prendrait même le temps de réparer, d'affiler ou simplement d'ajuster tous les outils qui en avaient besoin.

Lorsque Martin ouvrit la porte, il fut embrassé par une agréable bouffée de chaleur. Son père, dos à lui, s'affairait à mettre dans un grand baril de bois les copeaux qui s'étaient accumulés au pied de la raboteuse électrique. Sans faire de bruit, il referma la porte et observa son père auréolé d'un nuage de poussière qui s'élevait du plancher. Dès qu'Émile sentit qu'on le regardait, il arrêta son travail et se retourna. Martin lui demanda :

— C'est le grand ménage ?

Son père, un peu essoufflé, réfléchit un moment avant de répondre :

— Ouais ! C'est le nettoyage d'automne, comme chaque année.

Soudainement conscient de toute la poussière qui flottait à l'intérieur de l'atelier, Émile ouvrit de quelques centimètres la fenêtre derrière lui. Aussitôt, un air frais pénétra dans la grande pièce. En apercevant la charpente de ce qui ressemblait à une petite armoire sur l'établi, Martin demanda à son père s'il avait déjà reçu un autre contrat. Émile répondit :

— Ce n'est pas grand-chose. Madame Babineau m'avait demandé ça pour sa salle de bain. Avec les bancs d'église cet été, j'ai dû la faire attendre. Ce n'est pas un gros travail, mais j'en ai pour quelques jours avec la peinture, peut-être pour une semaine tout au plus.

Martin, silencieux, les mains enfouies dans les poches de son manteau de jeans, s'adossa au mur.

Émile le regarda et enleva ses gants de travail avant de dire :

— Toi, tu ressembles à quelqu'un qui cherche son argent.

Si son père avait raison, Martin, mal à l'aise, haussa les épaules comme si cela l'indifférait. Sans rien ajouter, Émile se dirigea vers son bureau, aménagé à même l'atelier. Au bout d'un moment, on entendit le bruit d'un tiroir se refermer. Son père réapparut avec une liasse de billets dans les mains.

— Tiens ! Voilà ta paye.

— Merci! répondit Martin, qui fourra l'argent dans la poche de son pantalon sans même vérifier le montant.

— Tu ne comptes pas?

Martin, embarrassé par cet échange d'argent entre lui et son père, voulait en finir au plus vite.

— Non! Je te fais confiance, répondit-il en souriant.

— Il faut compter… il faut toujours compter l'argent qu'on nous doit, mon gars. Les gens ne sont pas tous malhonnêtes, mais parfois on fait des erreurs. Un vingt dollars dans tes poches, c'est toujours mieux que dans le portefeuille de quelqu'un d'autre.

Amusé par l'insistance de son père, Martin sortit l'argent de sa poche et, méthodiquement, il se mit à le compter devant lui. Il déposait les billets un à un, lentement, sur l'établi.

Pendant ce temps, Émile en profita pour s'allumer une cigarette. En souriant, il souffla un petit nuage de fumée blanche avant de dire:

— Moi, je te dis ça pour ton bien. Surtout que là où tu t'en vas, ce n'est pas certain que tout le monde soit aussi honnête que ton père. C'est bien beau de voir des pays lointains, mais ce n'est pas une raison pour perdre de l'argent.

Martin ne répondit rien, devinant que son père ne faisait cela que pour l'agacer. Puis, croyant qu'il s'était trompé, il recompta l'argent rapidement. Il avait bien compté. Il y avait deux cents dollars de trop Au début des travaux, lui et son père s'étaient entendus sur un montant. Son père s'était trompé! Spontanément, Martin lui remit l'argent en trop.

— Tiens, il y a deux cents dollars qui sont à toi.

Plus sérieux, Émile fit signe que non de la tête et repoussa l'argent d'une main.

— Non! Le compte est bon! Les deux cents dollars de plus, c'est un bonus pour un travail bien fait.

Martin, aussi touché qu'heureux des paroles de son père, baissa les yeux avant de dire:

— Merci. C'est apprécié.

Après un moment de silence entre les deux hommes, Émile demanda:

— Comme ça, tout est prêt? Tu pars pour l'Europe?

— Oui, tout est fait. Les billets d'avion sont achetés, j'ai reçu mon passeport mercredi dernier, demain je vais à la Caisse chercher les chèques de voyage, mercredi matin, je prends l'avion pour Montréal, après c'est Paris.

— C'est loin, quand même.

— ...?

— Je veux dire voyager seul, comme ça.

— Je ne suis pas le premier qui part en voyage seul pour l'Europe, quand même. La France, c'est comme ici... enfin d'après ce que j'ai lu.

— Oui, oui, je sais tout ça, Martin. Mais c'est quand même bien, ce que tu fais.

Devant son fils silencieux, Émile aurait aimé pour une fois trouver les mots pour lui exprimer combien il était fier de lui. Il avait tellement changé en quelques mois, il n'était plus le même. Il était devenu un homme. Avec sa peau sombre, ses épaules qui s'étaient raffermies, il avait perdu les dernières traces d'une adolescence encore toute proche. Pris d'un vague regret, il aurait aimé lui avoir donné davantage, en avoir fait plus et l'avoir fait mieux. Soudainement, le souvenir de son épouse refit surface. Si Marie-France avait eu la chance de voir ce qu'était devenu son fils, elle aussi en aurait été fière. Elle qui avait été si curieuse de la vie, qui aurait tant voulu voyager si elle avait eu la santé et un peu plus de temps. Elle aurait vu à travers lui certains de ses rêves se réaliser.

Machinalement, Émile remit ses gants de travail. Martin, tout aussi maladroit que son père face à trop d'intimité, en profita pour s'excuser.

— Bon! Je te laisse travailler, j'ai encore des choses à faire pour le voyage.

Émile, sans rien dire, le salua d'une main avant de se remettre à balayer. Martin retourna dans sa chambre préparer ses bagages.

Camille, adossée au rebord du cadre de la fenêtre, amusée, regardait son petit-fils affairé à préparer ses bagages. Sur le lit, des vêtements, des sous-vêtements, des cassettes, un baladeur et quelques ustensiles attendaient leur tour pour trouver une place à l'intérieur du sac à dos. Après plusieurs tentatives et guidé par les conseils de sa grand-mère, Martin en vint finalement à trouver une façon logique d'organiser ses bagages. Mais au moment d'enfiler le sac sur ses épaules, il ne put retenir une grimace de douleur. Il en avait trop emporté, son sac à dos était beaucoup trop lourd. Jamais il ne pourrait traîner cela partout en Europe, pendant des mois. Témoin de cette nouvelle difficulté, Camille ne put s'empêcher de sourire. Le rire aux lèvres, elle lui demanda:

— C'est confortable?

Martin tournait sur lui-même et tentait désespérément, par petites secousses, de mieux répartir le poids de ce fardeau.

— Oui... oui... c'est correct. Je vais finir par m'y habituer.

— Tu en es certain?

D'un ton qui frôlait l'agacement, il répondit sèchement:

— Grand-maman, je n'ai pas vraiment d'autre choix. Pas question d'amener une valise en plus. Je m'y ferai, c'est tout. Après quelques jours, je suis certain que je n'y penserai même plus.

Camille, qui le voyait se démener le dos courbé, porta une main à sa bouche. Se forçant pour ne pas rire, elle ajouta à voix haute :

— Oui ! Sans doute… c'est probablement déjà beaucoup mieux, je te sens plus confortable.

Martin, soudainement immobile, réalisa que sa grand-mère avait peine à contenir son fou rire. De tout son poids, auquel s'ajoutait celui de son sac à dos, il s'assit lourdement sur son lit.

— Bon ! Pas la peine de rire de moi. Tu devrais plutôt m'aider.

— Oh, Martin, si tu te voyais ainsi… tu es trop susceptible.

Elle s'approcha de lui.

— Allez, enlève ça et vide-le sur le lit. On recommence. Tu en amènes trop, c'est tout.

Ensemble, patiemment, ils refirent le travail. Lorsque Martin referma le sac à dos, une pile de bas, de sous-vêtements, de chandails, de cassettes et deux paires de pantalons restèrent sur le lit. Cette fois, dès qu'il enfila les bretelles sur ses épaules, il sentit la différence.

— Tu vois, tu en avais trop mis. Tu n'es pas obligé d'emporter du linge pour un mois. En voyage, il est permis de laver ses vêtements de temps à autre.

Martin sourit à son tour. Reprenant sa place près de la fenêtre, Camille lui demanda :

— As-tu établi un itinéraire ?

— Non, pas vraiment. J'ai une idée où je veux aller et des pays que j'aimerais visiter, mais rien de précis.

— Tu vas visiter la France, quand même ?

— Ça, c'est sûr ; s'il y a une ville que je veux voir, c'est Paris.

— Oui, Paris, ça doit être bien. Mais le reste de la France, c'est quand même beau...enfin, c'est ce qu'on en dit.

— Grand-maman, je viens de te l'expliquer, je n'ai pas vraiment de plan fixe. Ça dépend d'un tas de choses : de la température, du coût des billets de train, de l'argent et du temps que j'aurai. Pourquoi me demandes-tu tout ça ?

Camille, chagrinée du ton sur lequel son petit-fils lui avait répondu, détourna le regard. Elle resta silencieuse pendant un long moment, elle regrettait d'avoir parlé. Elle finit par répondre :

— Excuse-moi, Martin, je voulais savoir, c'est tout. J'étais curieuse. Je n'ai jamais fait un aussi long voyage... je n'ai jamais voyagé, pour tout dire. J'étais simplement curieuse de savoir comment on organise tout ça, c'est tout. Je ne t'en parlerai plus, c'est promis.

Conscient qu'il l'avait blessée, Martin se sentit coupable. Il se défit de son sac à dos et s'approcha d'elle. Posant une main sur son épaule, il s'excusa.

— Grand-maman, lorsque je reviendrai, je te raconterai mon voyage dans ses moindres détails. Je vais tout te dire et ramener tellement de souvenirs que tu auras l'impression d'avoir fait le voyage avec moi.

Camille se détourna et posa sa main sur la sienne.

Au cours de la nuit, la rosée qui recouvrait le sol ainsi que les toitures des maisons et des autos s'était transformée en une fine pellicule de gelée blanche qui, sous les premiers rayons du soleil, scintillait de mille lumières. Dehors, le froid matinal de novembre mordait le visage et les mains laissés à découvert. Dénudés de leur feuillage, les arbres semblaient chétifs et sans défense. Avant la première bordée de neige, tout le paysage avait des airs de désolation et de tristesse.

À six heures du matin, lorsque Martin, sa grand-mère et son père se rendirent à l'aéroport de Bathurst, il faisait encore nuit. Mais la vingtaine de sièges de la petite salle d'attente étaient déjà occupés par une poignée de voyageurs. Dès son arrivée, Martin fit contrôler son billet pour Montréal. La préposée derrière le comptoir, une jeune femme au visage trop maquillé, l'informa avec un large sourire que le départ se ferait comme prévu à 6 h 55. De retour à la camionnette, trop nerveux pour relaxer, il vérifia encore ses bagages, ses billets d'avion, son passeport et recompta deux fois son argent. Son père, amusé, sortit en prétextant vouloir fumer. Camille ne put s'empêcher de réconforter son petit-fils.

— Martin, même si tu comptes ton argent vingt fois, le montant ne changera pas.

Posant une main sur sa cuisse, elle ajouta :

— Reste tranquille, ça va bien aller, tout est prêt.

Martin souriait.

— Oui, je sais, je sais, je ne suis pas vraiment nerveux. J'ai hâte de partir, maintenant.

— Ça ne sera pas long. Garde cette énergie pour le vol, tu vas en avoir besoin.

— Tu as raison, j'arrête de m'en faire, de toute façon, je suis prêt, il n'y a rien d'autre à faire.

Au bout d'un long silence, Camille sortit une enveloppe de son sac à main.

— Je veux te remettre quelque chose avant ton départ. Mais tu dois me faire une promesse.

Elle glissa délicatement dans la poche de veston de cuir de son petit-fils l'enveloppe cartonnée.

— Tu l'ouvres une fois là-bas, pas avant. C'est promis ?

Martin, intrigué, regardait l'extrémité de l'enveloppe qui sortait de la poche de son veston.

— En France seulement, pas avant ?

— Pas avant. Tu n'oublies pas, j'y tiens.

— Pourquoi ces cachettes ?

— Ce ne sont pas des cachettes !

— Qu'est-ce que c'est, alors ?

— Disons… un service, c'est ça, je te demande un service.

— Un service ?

— Oui, un service, c'est tout.

— Et ton service, il pourrait me causer des problèmes aux douanes ?

Camille éclata d'un petit rire.

— Mais non, à quoi tu penses ? Tu verras une fois là-bas, arrête de poser toutes ces questions, tu vas tout gâcher et tu me rends nerveuse.

Martin, d'un geste tendre, embrassa la joue de sa grand-mère.

— O. K. ! Grand-maman, c'est comme tu veux.

Puis, voyant que d'autres se dirigeaient, valise à la main, vers les portes d'embarcation, Martin crut bon d'en faire autant.

Après avoir embrassé sa grand-mère et donné l'accolade à son père toujours adossé à la camionnette, à son tour il se mit à marcher vers l'entrée. Son sac à dos en bandoulière sur l'épaule, il ouvrit l'une des deux portes vitrées et disparut à l'intérieur de la petite aérogare. Camille et son fils, d'un commun accord, préféraient rester dehors. Peu de temps après, l'avion, qui s'était posé sur la piste, repartit dans un mugissement assourdissant.

En un rien de temps, le petit avion se fondait dans la masse étoilée. Pour la première fois de sa vie, Martin quittait son pays.

Bruxelles, 1984

Du jour au lendemain, Bruxelles, comme les premiers rayons de soleil après la pluie, vint apporter cette chaleur qui jusque-là avait été absente de son voyage. Cette capitale, tout aussi belle que Paris mais plus petite et plus abordable, donna à Martin l'impression de renaître. Debout, en plein centre de la Grande-Place, avec une foule de touristes émerveillés, il avait peine à croire que deux jours plus tôt, sur un coup de tête, il avait faillit rentrer au Canada. Comment aurait-il pu manquer un aussi beau rendez-vous ? Dès le matin où il s'était embarqué à bord du T.G.V. qui l'avait amené ici, ce voyage si longuement préparé avait finalement pris son envol. Comme par enchantement, quitter Paris lui avait permis de trouver le courage d'affronter seul l'inconnu. En quelques heures, il s'était débarrassé de cette apathie qui avait empoisonné ses premiers jours en Europe.

Dans les jours et les semaines qui suivirent, Martin aligna les grandes villes et les pays avec l'appétit des aventuriers. En rafale, il visita Bruxelles, Gand, Bruges, et s'arrêta à Waterloo visiter le champ de bataille avant de repartir pour les Pays-Bas. À Amsterdam, après trois jours et trois nuits à se vautrer dans la ville de tous les plaisirs, le temps était venu de voir autre chose. Mais la froideur de Londres lui déplut ; à peine y avait-il mis les pieds que, sur un coup de tête, il plia bagage. Résolu, il voulait aller plus au Sud, là où il trouverait encore un peu de soleil même si le mois de décembre était tout proche.

Pour se rendre en Espagne, Martin n'avait d'autre choix que de traverser la France. Plutôt heureux de ce long détour en train, il se dit que cela lui permettrait de se reposer et de voir du pays sans efforts. Avant de quitter Londres, il avait acheté à la hâte une carte postale. Une fois en France, sur la couchette de son wagon-lit, il écrivit sans peine, à l'endos, un mot qu'il adressa à sa grand-mère et à son père.

Après avoir passé trois jours seulement à Barcelone, il était revenu sur ses pas et avait retraversé la frontière française. Il avait aimé l'Espagne, mais son incapacité de communiquer en espagnol l'avait obligé à écourter son séjour.

Il s'arrêta à Perpignan, tout près de Carcassonne. Dans les montagnes, il loua, pour une bouchée de pain, un petit chalet. Décembre était là, mais nulle part on ne voyait de trace de neige. N'eût été du temps froid et venteux et du ciel gris, jamais on n'aurait cru que c'était l'hiver. Mais les touristes, eux, le savaient et ils se faisaient rares. Tout était abordable pendant la saison morte.

Malgré l'âpreté du paysage, de ces terres arides, de l'herbe rêche et de ces arbrisseaux maigrelets qui s'accrochaient désespérément aux flancs escarpés des montagnes, Martin fut pris d'admiration pour cette région de la France. Le jour, il prenait de longues marches, au hasard des sentiers qu'il empruntait. Amenant avec lui un peu de nourriture et beaucoup d'eau, il s'arrêtait un moment çà et là pour savourer la plénitude des paysages. Lorsque la fatigue devenait trop lourde, il s'installait sur un rocher, à l'abri du vent, pour manger et se reposer. Il prenait le temps de contempler, tout en bas, ces villages tapis au pied des vallées profondes. Tel un troupeau d'animaux, toutes les maisons aux toitures ardoisées de pierres rougeâtres, brûlées par la lumière du soleil, semblaient se serrer les unes contre les autres pour se donner plus de courage afin d'affronter l'immensité qui les entourait.

Au cours de ses longues pérégrinations, il arrivait rarement que Martin fasse la rencontre de paysans. Parfois, il avait l'impression qu'on lui avait laissé la montagne pour lui seul. Le soir, fourbu mais content, il s'assoyait sur son balcon et se laissait bercer par le vent des Pyrénées qui, par vagues successives, se glissait entre les montagnes. Après toutes les grandes villes qu'il venait de visiter, le trésor de son voyage, c'était ici qu'il l'avait trouvé. S'il avait eu encore un peu d'argent, il serait resté plus longtemps dans le petit village de Vain-Gros. Malheureusement, son périple tirait à sa fin. Après sept semaines, il lui faudrait bientôt retourner à Paris avant de rentrer au pays.

Le matin de son départ, avant l'aube, le vent sifflait si fort dans les montagnes et sur les murs de son chalet de pierre que le bruit le réveilla. Ne pouvant se rendormir, il décida de préparer ses bagages. Il vida sur son lit son sac à dos afin d'y réorganiser ses effets. L'une des dernières choses à tomber du sac fut l'enveloppe que sa grand-mère lui avait remise à l'aéroport de Bathurst. À trop remettre cette lecture, il avait fini par l'oublier. Mais à quelques jours de son retour, il était plus que temps de prendre connaissance de cette lettre au sujet de laquelle sa grand-mère avait fait tant de mystère. À moitié endormi, il ouvrit aussitôt l'enveloppe quelque peu froissée, sur laquelle seul son prénom était écrit.

En plus d'une lettre, l'enveloppe contenait une petite somme d'argent liquide en devises canadiennes et une photo. Camille avait écrit un court billet. N'insistant aucunement, elle demandait à son petit-fils une faveur en espérant que l'argent qu'elle lui remettait couvrirait le coût de ce service. D'abord étonné, puis ému, Martin relut plusieurs fois ces quelques lignes écrites par sa grand-mère. Au bout de longues minutes, d'un geste décidé, il sortit de l'une des poches de son sac à dos une carte détaillée de toutes les régions de la France. Sous la lumière faible de l'unique ampoule électrique qui pendait du plafond, du bout du doigt il se mit à explorer tous les noms des villes et villages qui formaient la Normandie.

Paris, 1984

La première chose que Martin fit en rentrant à Paris fut de trouver un bureau de change afin d'encaisser l'argent que sa grand-mère lui avait donné. Ensuite, à la gare du Nord, il s'informa du trajet et des coûts pour se rendre en Normandie. La responsable du comptoir d'information lui expliqua que la façon la plus rapide et la moins dispendieuse serait de prendre l'autobus qui partait le lendemain matin à 5 h 30.

— Vous pouvez faire l'aller-retour en une journée. L'autobus s'arrête à Caen. Après, il vous faudra trouver, parce que dans les petites villes et villages de la région il n'y a pas beaucoup de transport en commun. Il vous sera possible de prendre un taxi, mais cela risque de vous coûter cher.

Malgré la petite somme donnée par sa grand-mère, Martin réalisa qu'il n'avait pas assez d'argent pour vivre pendant deux jours et se payer ce billet d'autobus. En fait, il pouvait à peine payer pour l'aller simple. Il prit alors un billet d'autobus qui le conduisit aux limites de Paris. De là, il trouverait bien une façon de faire ce voyage.

Comme il partirait très tôt et qu'il ne rentrerait que tard dans la nuit, il trouva une auberge de jeunesse et paya à l'avance pour deux nuits. Dans moins de 72 heures, il devait prendre l'avion pour rentrer au Canada. S'il voulait s'acquitter de la faveur demandée par sa grand-mère, le temps était compté. Au moindre retard, à la première annulation, tout tomberait à l'eau. S'il avait pris connaissance du contenu de la lettre un peu plus tôt, il aurait pu éviter pareille course contre la montre. Mais il était trop tard, il devait prendre une chance.

Le lendemain à 5 h 10, après une nuit quasi sans sommeil, Martin s'assit dans la dernière rangée de sièges de l'autobus à moitié vide. Le temps était couvert, il faisait froid et une pluie mélangée à quelques flocons de neige tombait sur la ville grise et endormie. À cette heure, les rues n'avaient de place que pour les camions de livraison, qui semblaient tous converger vers le centre de Paris. Après de longues minutes à circuler avec lenteur dans les méandres de la ville, il avait cette sensation désagréable de tourner en rond ; enfin, l'autobus fendit à grande vitesse de son museau l'épaisse couche de bruine qui traînait sur l'autoroute. Bercé par le ronronnement incessant du moteur et le murmure de quelques passagers avachis, Martin, épuisé, dormit pendant un moment. Lorsqu'il ouvrit à nouveau les yeux, ils étaient sortis de Paris et le soleil tentait désespérément de traverser l'épaisse couche de nuages. Plus on s'éloignait de la ville, plus l'autoroute devenait sinueuse et le paysage vallonné. Martin regardait défiler le paysage sans s'y intéresser, préoccupé par cette mission qu'il ne pouvait se permettre d'échouer. Deux fois déjà depuis son réveil, il avait relu la lettre de sa grand-mère, qu'il gardait précieusement dans la poche intérieure de son veston de cuir.

À peine l'autobus avait-il emprunté la bretelle de sortie que le ciel, en un coup de vent, fut débarrassé de ses nuages. D'après les indications que lui avait données le chauffeur, Martin devait descendre au prochain terminal. Malgré le soleil, le temps était froid. À l'intérieur de la station, il s'acheta un café et un crois-sant. Après avoir ouvert sa carte de la Normandie sur une petite table ronde, il y déposa son café, déçu. D'où il était, il devait y avoir entre trois et quatre heures de route qui le séparaient de Beny-sur-Mer. Après avoir mangé, résolu, il s'était dit qu'il n'avait d'autre choix que de faire de l'auto-stop.

Son sac à dos sur l'épaule, il marcha longtemps sur cette route secondaire peu achalandée. Les quelques autos qui passaient ne daignaient même pas ralentir pour le ramasser. Il voyait s'étendre autour de lui d'immenses champs de culture dont certains avaient récemment été labourés. Bien que le paysage soit relativement plat, il se cachait de petites accumulations de neige dans le creux des dépressions. Les grandes surfaces de terre gorgées d'eau et de boue étaient délimitées par de maigres rangées d'arbres dénudés de feuilles. Après une heure de marche, Martin, les mains gelées et fatigué, commençait à douter de son plan. Si personne ne s'arrêtait bientôt, il n'arriverait que tard le soir à Beny-sur-Mer, il manquerait l'autobus pour rentrer à Paris et, le lendemain, son avion pour le Canada. Il s'en voulait. Comment avait-il pu être aussi négligent et n'avoir pas prévu les urgences ? Pensant que son voyage prendrait fin dans quelques jours, il avait presque tout dépensé. Il en était à se faire ces reproches lorsqu'une Peugeot rouge s'arrêta sur le bas-côté de la route, à une trentaine de mètres derrière lui. Craignant de voir disparaître son bienfaiteur, il se mit à courir pour le rattraper.

Guyaume et Sylvie Lemarié, tous deux retraités, se rendaient à l'hôpital de Caen visiter une cousine gravement malade. Depuis trois mois, ils faisaient le même trajet une fois par semaine. Martin s'approcha en courant, ignorant qu'au moment où ils s'arrêtaient, une vive et brève discussion entre le couple avait éclaté à l'intérieur de l'auto.

— Oh ! Guyaume, mais qu'est-ce que tu fais ? Tu ne vas pas faire monter un auto-stoppeur, quand même ? s'était écriée Sylvie en voyant son mari ralentir.

— Oui ! Et pourquoi pas ? Ça nous fera un peu de compagnie.

— Mais ce n'est pas une raison! Tu n'es pas bien, ou quoi? Tu lis les journaux, on ne sait jamais, ces gens-là peuvent être dangereux. À notre âge, qu'est-ce qu'on va faire?

— Il est tout jeunot, ça ne doit pas être un dangereux.

Sylvie se retourna et vit que Martin était tout près. Elle perdit patience.

— Mais voyons, Guyaume, tu es tombé sur la tête, qu'est-ce qu'on va lui dire, à cet étranger?

— Écoute, tu m'énerves à la fin. Depuis ce matin, on ne s'est pas dit trois mots. Moi, un peu de compagnie, ça me tient réveillé quand je conduis. De toute façon, s'il n'est pas correct, je le ferai descendre, c'est tout. Il est trop tard, il arrive. On ne va quand même pas se sauver maintenant!

— Toi, tu vas le faire descendre? Avec ton cœur malade? J'aimerais voir ça. Ah! Quelle histoire!

Martin, à bout de souffle, ouvrit la portière arrière mais demanda, avant de s'asseoir:

— Bonjour, je vais à Beny-sur-Mer, est-ce que c'est sur votre route?

— Non, mais c'est tout près, allez montez, il fait froid, lui répondit monsieur Lemarié.

Son épouse, mécontente, secouait la tête comme c'était son habitude lorsqu'elle était furieuse. L'auto repartit aussitôt que la portière fut refermée. Pendant un moment, ce fut le silence complet à l'intérieur. Monsieur Lemarié parla le premier.

— Tantôt, je vous écoutais, j'ai cru remarquer un petit accent. Vous n'êtes pas français?

— Non, je suis canadien, répondit poliment Martin.

— Québécois, je suppose?

— Non, je viens du Nouveau-Brunswick.

— Ah oui! Le Nouveau-Brunswick, je connais. Il y a de petites communautés francophones dans cette province.

— Oui, c'est ça.

— Et vous voyagez seul?

— Oui, depuis deux mois.

— Il est un peu tard pour faire le touriste, demanda Guyaume en jetant un coup d'œil dans son rétroviseur pour mieux examiner son passager.

— Oui, un peu. En fait, mon voyage est presque terminé. Demain soir, je dois prendre l'avion pour rentrer au pays.

— Vous allez me traiter de curieux, mais qu'est-ce que vous êtes venu voir en Normandie? À ce temps de l'année, il n'y a pas grand-chose à voir et en plus, il fait froid.

Pour la première fois, Sylvie, un peu moins craintive vis-à-vis de l'étranger, interrompit son mari.

— Guyaume, laisse ce jeune homme tranquille, tu vas le fatiguer avec toutes tes questions. Tu es pire que la police.

Monsieur Lemarié souriait.

— Je vous présente ma femme, Sylvie. Elle trouve que je parle trop. Moi, c'est Guyaume Lemarié.

— Martin DuRepos. Enchanté de faire votre connaissance.

Madame Lemarié se retourna sur son siège et reprit l'interrogatoire là où son mari s'était arrêté.

— Comme ça, vous visitez la Normandie?

— Non, pas vraiment. Je cherche un cimetière qui se trouve à Beny-sur-Mer.

— Un cimetière? répéta Sylvie, surprise. Vous avez de la famille enterrée là-bas?

— Oui, mon grand-père. Il est mort pendant la Deuxième Guerre mondiale. Apparemment, il serait enterré dans un cimetière militaire.

— Tu entends ça, Guyaume, son grand-père est mort tout près d'ici.

— Mais, on le connaît bien votre cimetière canadien, on est souvent passés devant, s'exclama monsieur Lemarié, qui pendant quelques secondes leva les deux bras en l'air.

— C'est très beau, nous ne nous y sommes jamais arrêtés, on n'y connaît personne. Mais je peux vous dire une chose, le gouvernement français en prend grand soin, vous allez voir, c'est très propre.

— Oh! Oui, mon mari a raison, c'est très joli, l'été. Chaque année, le 11 novembre évidemment, il y a toujours une belle cérémonie commémorative. Nous l'avons déjà vue à la télé.

À partir du moment où les Lemarié prirent connaissance des intentions de Martin, ils se mirent sans réserve à partager avec lui les détails de leur vie, comme si c'étaient des retrouvailles. Martin, quelque peu surpris d'une telle confiance, se disait : «Si ces gens ont la gentillesse de m'amener au cimetière de Beny-sur-Mer, la moindre des choses, c'est de les écouter.» Madame Lemarié, dans un flot de paroles, lui donna une foule de renseignements sur sa famille et celle de son mari. Elle s'attarda longuement sur ses deux enfants et ses quatre petits-enfants. Sans jamais s'interrompre, elle sortait à tout moment de son sac à main la photo d'un tel ou d'une telle, comme pour prouver tout ce qu'elle avançait. Pour sa part, monsieur Lemarié, qui cherchait constamment à placer un mot, voulait en connaître davantage sur ce grand-père décédé en France. Il aurait aimé savoir quel était son rang au sein de l'armée, le nom de son régiment et les batailles auxquelles il avait participé. À chacune de ces questions, Martin, quelque peu embarrassé par son ignorance, ne savait trop quoi répondre. En fait, il ne connaissait presque rien de la vie militaire de son grand-père et ne s'était jamais informé de tous ces détails auprès de sa grand-mère. À chacune des questions restées sans réponse, madame Lemarié, consciente du malaise de Martin, intervenait en sa faveur.

— Mais voyons, Guyaume, c'est bien loin, toute cette histoire, il est trop jeune pour connaître des choses pareilles. Laisse-le un peu tranquille.

— Je voulais seulement savoir, c'est tout! J'aime bien l'histoire, je m'y connais un peu, vous savez, ajouta monsieur Lemarié en s'adressant à Martin.

— C'est vrai, mon mari se passionne pour la géographie et l'histoire, la maison est pleine de livres, qui ramassent beaucoup de poussière d'ailleurs.

La petite route sur laquelle ils roulaient était si étroite et sinueuse que rencontrer une auto ou un tracteur de ferme les obligeait à ralentir et à se ranger sur le bas-côté de la route. Martin écoutait poliment le couple Lemarié et réalisait que, tranquillement, il approchait de son but. Après plus de trois heures de route, les Lemarié proposèrent qu'une fois la visite du cimetière terminée, ils déjeuneraient ensemble; il était déjà tout entendu qu'eux aussi visiteraient le cimetière militaire. Cela signifiait un détour pour eux, mais presque rien; et de toute façon, comme l'expliquait Sylvie, pour sa cousine qui était mourante, quelques heures de plus ou de moins ne feraient pas une grande différence. Au point où elle en était, elle ne remarquerait même pas leur retard. De plus, monsieur Lemarié s'était apparemment toujours fait la promesse qu'un jour il visiterait ce cimetière canadien. Il en avait visité plusieurs autres dans la région, et maintenant que l'occasion ne présentait, pourquoi ne pas l'accompagner? Sylvie abondait dans le même sens que son mari.

— Vous savez, nous sommes à la retraite, c'est un avantage que nous avons. On prend le temps dont on a besoin. Alors si on peut vous rendre service, ça fait plaisir, c'est peu de choses.

Sans la moindre hésitation, Martin accepta l'invitation à déjeuner. Mais sur la route, après un long moment à regarder en silence le paysage défiler, un sentiment étrange s'était soudainement éveillé en lui. La générosité des Lemarié pour cette visite du cimetière, ce respect qu'ils manifestaient pour un homme qu'ils n'avaient jamais connu, qui ne bénéficiait d'aucune notoriété, l'intriguaient. Il avait l'impression que les Lemarié avaient compris quelque chose qui aurait dû être une évidence pour lui. Il ne s'était jamais intéressé outre mesure à son grand-père, cet homme mystérieux dont on parlait rarement à la maison. Quand il était plus jeune, sa grand-mère, à l'occasion, avait raconté son histoire mais en ne donnant que peu de détails, en n'insistant sur aucun fait particulier. Agacé par l'inconfort que lui causait son ignorance, Martin, comme pour retrouver son équilibre, s'adressa à monsieur Lemarié :

— Écoutez, monsieur Lemarié, vous n'avez pas besoin d'en faire autant pour moi. Si ça dérange vos plans, ce détour, vous me le dites et je m'arrange, c'est tout. Vous avez probablement mieux à faire que de visiter un vieux cimetière militaire.

Un silence suivit la déclaration de Martin. Puis, monsieur Lemarié s'éclaircit la gorge. L'air chagriné, il répondit d'une voix légèrement émue :

— Vous savez, Martin, mon épouse et moi avons connu la guerre. Quand on a vécu une chose pareille et vu son pays agenouillé dans la boue et la misère, défait par l'ennemi, cette horreur vous marque pour la vie. Votre grand-père, il était tout jeune quand il est venu se battre ici. Il a donné sa vie pour la liberté de la France. Eh bien moi, ça me fait quelque chose quand j'entends des histoires comme la vôtre. C'est pour cette raison que nous, les Français, nous serons éternellement redevables pour ce que les Canadiens ont fait pour nous à Dieppe en 42 et en Normandie en 44. C'est certain qu'on n'oublie pas les pays alliés, les Anglais, les Américains et tous les autres, ça ne se dit même pas. Mais pour les Canadiens français, ça sera toujours un peu spécial. C'est drôle, mais c'est comme ça. Si nous pouvons vous accommoder, ça nous ferait plaisir, faut pas se tromper, ce n'est pas une corvée. C'est simplement notre façon à nous de vous dire que nous n'avons pas oublié.

Martin comprit à ce moment que refuser leur générosité aurait été maladroit de sa part.

La Peugeot glissait sur la route de campagne que le soleil tentait timidement de réchauffer. Il était midi passé lorsque, sur un promontoire, à un peu moins d'un kilomètre, on put apercevoir au loin un énorme socle de pierre de sable qui annonçait l'emplacement du cimetière canadien. Tout autour, il n'y avait que des champs immenses.

— Eh bien, nous y voilà, à votre cimetière. Il est là, juste devant. On vous l'avait dit que ce n'était pas loin.

En approchant, Martin put voir que deux petites tourelles de pierre montaient la garde à l'entrée du cimetière. En plein centre, une croix de marbre assez haute perçait le ciel. Monsieur Lemarié stationna l'auto sur le remblai aménagé près de la route. Le stationnement était vide. Au sol, il ne restait plus de trace de cette mince couche de neige qui était tombée tôt le matin. Il montait de l'herbe mouillée une odeur de fruits sauvages. Le ciel était sans nuages et seules de petites bouffées de vent chargées d'un parfum d'hiver faisaient danser çà et là quelques feuilles mortes qui jonchaient l'allée centrale.

Sans explication, sans même s'être consultés, les Lemarié laissèrent Martin s'approcher le premier de l'entrée du cimetière, qui formait un grand rectangle délimité par une petite clôture d'arbrisseaux et quelques érables. À peine avait-il pénétré à l'intérieur de cette enceinte qu'il sentit fondre sur lui un silence qui pénétra dans sa chair. Il vit à ce moment les premières rangées de pierres tombales s'ériger devant lui par centaines, serrées, parfaitement alignées les unes derrière les autres, tel un défilé militaire silencieux et immobile. Ces pierres de granit qui, de loin, semblaient d'un blanc immaculé, étaient légèrement jaunies et portaient les cicatrices laissées par les affres du temps. Brûlées par le soleil, rongées par l'air salin et la pollution, fouettées par les vents d'automne et griffées par les tempêtes d'hiver, toutes étaient marquées par près de quarante années d'usure. Stupéfait devant le nombre et la disposition de toutes ces pierres, Martin, immobile, ne faisait que balayer du regard ce champ de morts. Interdit, il ne savait plus quoi penser. Monsieur Lemarié, qui avait l'expérience de ces visites, ne put s'empêcher de donner des conseils.

— Je ne veux pas vous dire quoi faire mais, généralement, on trouve à l'entrée un registre qui contient tous les noms des soldats avec l'emplacement qu'ils occupent dans le cimetière. Il faudrait probablement vérifier à l'intérieur de l'une de ces tourelles.

Monsieur Lemarié avait raison. Derrière une porte de métal, à l'abri des intempéries, se trouvait une petite voûte à l'intérieur de laquelle était disposé, pour le public, un registre au couvercle plastifié. En l'ouvrant, Martin y découvrit une carte du cimetière ainsi qu'un index contenant, en ordre alphabétique, les noms de tous les soldats canadiens enterrés au cimetière de Beny-sur-Mer. Guyaume et Sylvie se tinrent quelque peu en retrait, respectueusement, pour laisser à Martin le temps de consulter le document et l'espace pour le faire. Après quelques minutes, il repéra sans peine le nom de son grand-père.

— Je l'ai! Gabriel Cormier X A10, c'est le lot X, rangée A10.

Il referma la porte. Suivi des Lemarié, il se mit à marcher dans la direction qu'il avait trouvée. Lorsqu'ils se trouvèrent devant le lot indiqué dans le registre, la pierre tombale ne portait pas le nom de Gabriel Cormier.

— Ce n'est pas mon grand-père.

— Qu'est-ce qu'il dit? demanda Guyaume en se penchant vers son épouse.

— Il dit que ce n'est pas la pierre tombale de son grand-père.

— Comme ça, ce n'est pas votre grand-père? Vous êtes certain que c'était le lot X, la rangée A10?

— C'est ce qui est écrit.

— C'est étrange, quand même. Une erreur s'est glissée dans le registre.

— Guyaume, à nous trois nous pourrions chercher. Si le nom est inscrit, c'est qu'il est enterré ici quelque part. Il faut trouver, c'est tout, déclara Sylvie d'un ton décidé.

— Mon épouse a raison, nous n'avons pas d'autre choix, tout seul vous en avez pour la journée. Il doit y avoir tout près de deux mille pierres tombales dans ce cimetière.

Martin était demeuré pensif devant cette pierre tombale qui devait porter le nom de son grand-père. Puis, remontant la fermeture éclair de son veston, il dit:

— Vous avez raison, nous avons trop fait de route pour abandonner comme ça. Il faut chercher.

— Bon! s'écria monsieur Lemarié. Je vais dans cette direction; toi, Sylvie, tu peux prendre tout le bloc de derrière. Vous, Martin, vous pouvez retourner à l'entrée. De cette façon, tout le terrain est couvert.

Aussitôt, les Lemarié, qui ignoraient l'existence même de Martin Durepos à peine quelques heures auparavant, se mirent, déterminés, à la recherche de son grand-père. Lentement, méthodiquement, ils scrutaient une à une les inscriptions de chaque pierre tombale devant laquelle ils défilaient. Ils y mettaient un soin méticuleux, comme s'il s'agissait d'un membre de leur propre famille.

Tout en bas de chaque pierre, on avait gravé l'âge des soldats au moment de leur décès. Après en avoir examiné plus d'une centaine, Martin réalisa que la grande majorité de ces hommes avaient rarement plus de 25 ans. S'il reconnaissait la province canadienne d'où provenaient les soldats, les noms des villes et des villages qui les accompagnaient lui étaient pour la plupart inconnus. À force de lire tous ces noms, toutes ces dates qui marquaient le passé et une partie de l'histoire, Martin ressentit l'étrange sensation qu'à l'intérieur de ce petit lopin de terre française, le temps s'était arrêté en 1945. Tous ces hommes n'avaient jamais vu la fin de la guerre.

Soudain, après une demi-heure passée à arpenter le cimetière, un faible cri vint rompre les recherches. Relevant la tête, Martin aperçut madame Lemarié qui, debout près de la grande croix de marbre, faisait des signes de la main. Elle avait trouvé. Lentement, il se mit à marcher vers elle. Monsieur Lemarié, tout au fond, s'approchait avec empressement.

— Elle est ici, il n'y a pas d'erreur. C'est votre grand-père, annonça madame Lemarié, qui avait de la peine à dissimuler sa joie. Martin s'arrêta tout près de la pierre tombale et prit le temps de lire l'inscription au complet avant de répondre.

C 19348 PRIVATE

G. CORMIER

THE NORTH SHORE N.B. REGIMENT

LE 4 JUILLET 1944 ÂGE 24

RIP

Monsieur Lemarié, qui arrivait, demanda, quelque peu essoufflé :

— C'est lui… c'est la bonne, Sylvie ? Vous l'avez trouvée, la pierre tombale ?

— Oui, cette fois c'est la bonne. Je l'ai trouvée, regarde Guyaume, elle est ici.

À son tour, monsieur Lemarié prit quelques secondes pour lire l'inscription.

— C'est ça, cette fois il n'y a pas d'erreur, c'est votre grand-père.

Après avoir longuement fixé la pierre, sans donner d'explication, Martin, silencieux, sortit de la poche intérieure de son veston la lettre que sa grand-mère lui avait remise le jour de son départ. Il retira de l'enveloppe le billet et la photo en noir et blanc qui l'accompagnait. Il relut ces mots écrits par Camille:

Le 2 novembre 1983

Cher Martin,

J'espère que ton premier grand voyage t'amènera tout ce que tu souhaitais. Ton père et moi sommes très fiers de toi. Prends l'argent et fais-en ce que bon te semble, il est à toi, c'est mon cadeau. C'est peu, mais peut-être pourras-tu t'acheter quelque chose de bien avec cet argent.

Si j'avais fait un peu de mystère en te remettant cette lettre, le temps est venu de t'expliquer pourquoi. En fait, j'ai une faveur à te demander.

Au Nord de la France, en Normandie, il y a une ville du nom de Beny-sur-Mer. C'est à cet endroit que ton grand-père repose depuis la fin de la Deuxième Guerre. Il est enterré dans un cimetière militaire avec d'autres soldats canadiens. Si jamais tu trouvais, à l'intérieur de ton voyage, le temps de t'y rendre, j'aimerais que tu déposes cette photo sur sa tombe. C'est un caprice de vieille femme, mais j'y tiens beaucoup. Si tu n'as pas le temps, que cela ne fait pas partie de ton itinéraire, je comprendrai, tu n'as pas à t'en faire. Mais ce serait un beau geste de rendre visite à Gabriel, ton grand-père que tu n'as jamais connu.

Prends soin de toi, sois prudent et reviens-nous pour les Fêtes.

Grand-maman qui t'aime et t'embrasse

Tel que l'avait souhaité Camille, Martin posa un genou sur l'herbe mouillée et coinça délicatement la photo entre la pierre tombale et le sol détrempé. Il connaissait bien cette photo, l'original était sur le piano du salon depuis des années. Elle avait été prise le soir de Noël 1968. Il avait 3 ans, était assis entre son père et sa mère, alors que sa grand-mère était restée debout derrière eux. C'est le dernier Noël qu'ils passèrent tous ensemble. Se penchant discrètement vers son mari, madame Lemarié lui chuchota à l'oreille :

— C'est sans doute sa famille. C'est triste, quand même.

— Voyons, voyons, Sylvie, il ne faut pas s'emporter. C'est la vie, on ne peut rien y faire.

– Oui, je sais, mais quand même, moi ça me fait quelque chose.

Après s'être relevé, Martin secoua les brindilles d'herbe mouillée qui s'étaient collées à ses genoux. Monsieur Lemarié et son épouse, sans jamais manifester le moindre signe d'impatience, s'approchèrent. Monsieur Lemarié posa doucement sa main sur l'épaule de Martin.

— Toutes ces émotions, jeune homme, ça ouvre l'appétit, non ? Que diriez-vous si nous allions tous déjeuner, maintenant ?

— Vous avez raison, monsieur Lemarié, moi aussi j'ai faim, répondit Martin qui s'apprêtait à suivre le couple.

Mais soudainement, mû par une force dont il ignorait la provenance, il fut retenu sur place. Lentement, il s'agenouilla à nouveau, posa une main sur la pierre tombale, ferma les yeux et, du bout des lèvres, en effleura la surface froide et rugueuse. Au moment où ses lèvres touchèrent la pierre, venu de nulle part, un grand coup de vent embrassa tout le cimetière, agitant avec violence les rangées d'arbres dévêtus de feuillage. Les amas de feuilles mortes balayées dans tous les sens se déplacèrent en imitant le bruit de mille castagnettes. Aussi bref que sauvage, le vent s'apaisa aussitôt. Martin se releva et rejoignit les Lemarié, qui l'attendaient à la sortie du cimetière. Cette fois, il ne regarda plus en arrière.

Il quitta Beny-sur-Mer en laissant derrière lui la photo de Noël que de petites bourrasques de vent faisaient trembloter. Comme le temps l'avait fait pour les inscriptions de ces milliers de pierres tombales, il finirait par en gruger sans merci les moindres détails, jusqu'à sa disparition complète. Mais cela n'avait aucune importance. Aussi éphémère que soit cette réunion, elle permettrait pour un instant à Gabriel et Camille d'être ensemble comme une vraie famille. Parfois, le bonheur n'est rien d'autre que des poussières d'éternité.

Pour le déjeuner, les Lemarié proposèrent de se rendre jusqu'à Arromanches.

— C'est un peu loin d'ici, mais c'est plus gros; et comme l'été ils accueillent beaucoup de touristes, les restaurants sont plus nombreux. Si vous voulez, nous pourrions aller voir les vestiges de la tête de pont. Vous connaissez la tête de pont? demanda monsieur Lemarié en regardant dans son rétroviseur.

— Non!

— Eh bien, c'est là que les Alliés s'étaient installés pour débarquer tout le matériel militaire. C'était phénoménal, ces installations temporaires qu'on y avait érigées. De la plage, on voit encore d'énormes caissons de ciment qui sont juste à la surface de la mer. Il faut voir ça!

— Guyaume a raison, si vous voulez vraiment comprendre le débarquement, tout y est à Arromanches. Il y a même un musée d'interprétation. Après avoir mangé, si ça vous le dit, on pourra visiter, c'est vous qui décidez. Nous avons tout notre temps.

— Moi, je veux bien, mais votre cousine attend votre visite…

— Oh! Mais faut pas s'en faire avec ça, au restaurant je téléphonerai à Richard, son mari, et lui expliquerai la situation, c'est tout. De toute manière, on reviendra la semaine prochaine…

Non, non, ne vous en faites pas avec ça. C'est vrai, Guyaume, nous pouvons toujours revenir jeudi prochain.

— Ma femme a raison, il ne faut pas refuser, allez, on s'en va manger.

Une grande partie de la route qui les mena à Arromanches était bordée par la côte escarpée. La mer moutonneuse et grise était fouettée par de grands vents qui, depuis qu'ils avaient quitté le cimetière, ne semblaient plus vouloir s'apaiser. Entre les nuages qui se profilaient à l'horizon se glissaient çà et là de majestueux pans de lumière qui plongeaient dans les eaux froides. Martin, assis sur la banquette arrière, quelque peu fatigué, était pensif. Si une partie de lui-même aurait aimé que le voyage dure encore longtemps, une autre trouvait qu'il était temps de rentrer à la maison.

À Arromanches, ils s'arrêtèrent au premier restaurant encore ouvert malgré la saison morte. L'Hôtel de Normandie, situé en plein centre de la ville, faisait face à la mer. Le stationnement aménagé pour recevoir une cinquantaine d'automobiles était désert. Seules une auto et trois motocyclettes étaient garées près de l'entrée. À l'intérieur, les murs du restaurant débordaient de souvenirs et de reliques de la Deuxième Guerre. De longues tablettes étaient chargées de fusils, de baïonnettes, de casques d'acier américains et allemands pêle-mêle, de grenades désamorcées; et des dizaines de douilles de différents calibres se tenaient debout en une rangée décroissante. Excepté dans la baie vitrée, on avait accroché partout aux murs des centaines de vieilles photographies en noir et blanc qui, avec le temps, avaient été brûlées par la lumière du soleil. On y voyait des soldats, des avions, des tanks, des bateaux et tout ce qui aurait pu servir pour le débarquement du 6 juin 1944.

Les Lemarié et Martin, restés debout à l'entrée, attendaient que quelqu'un vienne les servir. Poussé dans le dos par son épouse, monsieur Lemarié, d'abord hésitant, finit par s'approcher du bar derrière lequel une serveuse, cigarette au bec, essuyait machinalement des verres.

— Pardon, Madame, nous voudrions manger, trois personnes s'il vous plaît.

La femme, âgée d'une cinquantaine d'années, sans beauté, le visage fatigué et peu avenante, feignit un sourire avant de répondre d'une voix rauque :

— Faut pas se gêner, comme vous voyez c'est pas la place qui manque. Vous vous installez où vous voulez, je vous amène le menu.

— Parfait ! On s'assoit où on veut, déclara monsieur Lemarié, l'air content.

— C'est ça, je vous amène de l'eau et les menus, répéta la serveuse, écrasant au même moment sa cigarette dans un large cendrier posé sur le comptoir.

— Nous allons prendre cette table, Guyaume, avec les fenêtres on peut voir la mer. En plus, c'est tranquille, nous ne serons pas dérangés pour manger.

— C'est normal que ce soit tranquille, Sylvie, c'est la saison morte. L'été, il doit y avoir foule. Les bus arrivent de partout dès le début des vacances d'été. Là, avec Noël tout proche, les gens ont autre chose à faire.

— Oh ! Guyaume j'y pense, il faudrait téléphoner à Richard avant qu'il ne s'inquiète. Ta carte magnétique contient-elle assez d'unités ?

— Non ! Je n'ai rien, rien que des billets.

— Ah ! Mais c'est malin ! Il faut demander au comptoir, allez, tu m'accompagnes. Il faut nous excuser quelques minutes, Martin, il faut que j'appelle le mari de ma cousine pour l'informer que finalement, nous ne pourrons pas la visiter aujourd'hui.

Les Lemarié avaient à peine quitté la table que la serveuse amena, sans entrain, trois menus, une carafe d'eau froide et un petit panier en osier contenant une demi-baguette de pain coupée en épaisses rondelles. Après avoir consulté rapidement son menu, Martin le mit de côté et remarqua qu'on avait imprimé sur les napperons de papier, posés sur la table, une carte détaillée des opérations du débarquement de 1944. Les positions de chaque pays allié sur la plage étaient représentées par leur drapeau. Des croix gammées illustraient celles des troupes allemandes pendant l'Occupation. Le nom des villes et villages, des routes et des rivières, tout était soigneusement identifié. Dans le coin droit du napperon, en caractères serrés, on avait traduit en français le témoignage d'un jeune soldat américain. On expliquait que l'armée avait été incapable de confirmer l'identité du soldat tué sur la plage d'Omaha, tellement son corps était mutilé. Dans l'une de ses poches, on avait retrouvé un calepin sans nom ni adresse. Le soldat avait écrit les pensées qui l'accompagnaient quelques heures à peine avant que l'on donne le signal de l'invasion.

Curieux, Martin prit un moment pour lire le texte.

Southampton, Angleterre

5 juin 1944

Les rumeurs courent que dans quelques heures, probablement en pleine nuit, si le temps s'éclaircit, nous lancerons l'assaut final. Avec la quantité d'hommes et d'équipements accumulés ici, il ne peut en être autrement. Tous, nous ignorons ce qui nous attend et le sort que les Allemands nous réservent. Et devant la fin qui est peut-être toute proche, je suis assailli de questions.

Pour être en mesure de juger de la grandeur et du courage d'un homme, ne faut-il pas que Dieu soit témoin de tous les gestes qui ont formé sa vie, bons ou mauvais? Et si cet homme, pour se protéger et se défendre, a le devoir de tuer son prochain, commet-il une faute grave? Un sacrilège impardonnable? Si sa motivation est absente de tout gain personnel et d'amour-propre, s'il ne recherche ni la richesse, ni l'admiration des autres et que les flammes qui nourrissent ses actes brûlent dans le but de mener une vie simple, pure et droite, est-il condamnable ? Après sa mort, si ses mains ont été souillées par le sang des autres, quelle sera la valeur de son passage dans le monde ?

Mes questions restent sans réponse et pour cela, je demande à Dieu de me protéger, de me pardonner et de m'aider à rester juste.

Devant l'inconnu, je prie pour trouver la force, le courage. Et de tout mon être, je souhaite que ce débarquement soit le symbole de ce qui marquera la fin de cette guerre.

Inconnu

Retrouvé le 7 juin au matin, 1944

Après quelques secondes de réflexion, il prit le napperon de papier et le plia avant de le mettre dans la poche de son veston.

Par la baie vitrée, on voyait les reflets du soleil qui faisaient miroiter la surface de la mer qui se gonflait avec le va-et-vient de la houle. Au loin, une volée de goélands tournoyaient avec aisance au-dessus des vagues en se laissant porter par les grandes bourrasques de vent.

On aurait dit des âmes silencieuses qui flottaient dans l'éternité.